満点ゲットシリーズ
ちびまる子ちゃんの
かん字じてん 1
小学一年生と二年生むき
キャラクター原作／
さくらももこ
監修／長野秀章
東京学芸大学教授

この本に出てくる人たち

玉先生本文字正学校年入出休立
円竹草花貝虫犬名子王人女男空夕雨気天
戸川先生
まる子の
クラス担任。
やさしくて
人気者。
佐々木の じいさん
30年間
町に 木を
う(植)え
つづけて
いる。
おじいちゃん
(友蔵)
まる子の いち
ばんの 味方で
なかよし。
おばあちゃん
友蔵の つま。
前田さん
そうじ係。
カッと すると、
なく。
たかしくん
クラスメイト。
犬を かっている。
杉山くん
大野くん
ふたりは 親友。
はまじ
クラス
メイトの 男子。
おねえちゃん
まる子に めいわく
を かけられる
ことが 多い。
ズバリ~~~
丸尾くん
「ズバリ」が
口ぐせ。
野口さん
おわらい
ずきな
くらい
少女。
花輪くん
大金持ちの むすこ。
みぎわさん
花輪くんに お熱。
ヒデじい
花輪くんち
の 運転手。
みんなから
すかれて
いる。
石川山森林下上左右青白赤小中

もくじ

一年生(いちねんせい)で ならう かん字(じ)

かずに かんけいが ある かん字(じ)

                  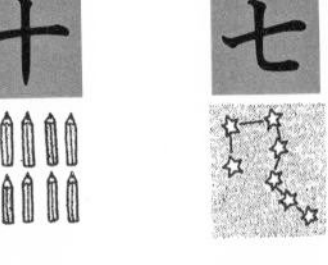 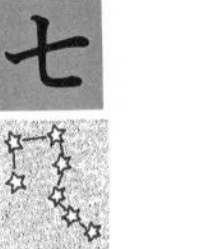 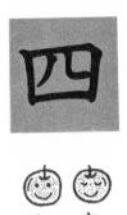  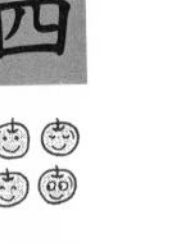  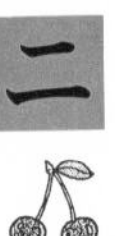          

ようびに かんけいが ある かん字(じ)

からだに かんけいが ある かん字(じ)

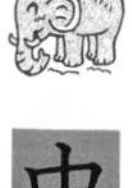

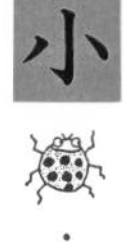

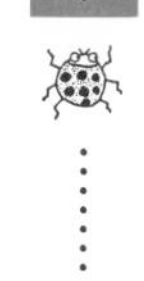

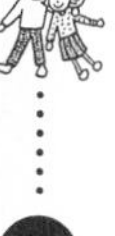

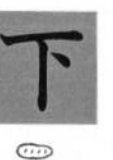

あいうえお かさ クーッシ スーッ

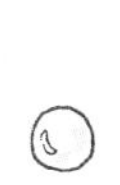

かん字大すき小学生になりましょう。

どうしたら かん字 大すき
小学生に なれるのかな?

ねえ まるちゃん
かん字はかせの 長野先生に
聞いてみようよ

やあ、まるちゃんに
たまちゃん、
それから、この本を
これから 読もうと
思っている お友だち、
こんにちは。
みんなも「かん字は、
むずかしいな」と
思って いるのかい?
じつは、そんな
お友だちの ために、
この本を 作ったんだよ。

この本には、一・二年生で
ならう かん字が、
まんがの 中に たくさん
入って いるんだ。
だから、読んで いる うちに
かん字を すらすら おぼえ
られちゃうと いうわけさ。
どこから 読んでも
かまわないし、
どのページも 楽しいよ。
さあ、この一冊で きみたちも
『かん字 大すき小学生』だ。

●東京学芸大学教授
ながのひであき
(長野秀章)

わたしは
かん字が 大すき♡
この本の おかげね

ズバリ あなたも
まん(満)点が
とれるでしょう!

よーし ぼくも
まん(満)点を
ねらっちゃおう
アハハハ…

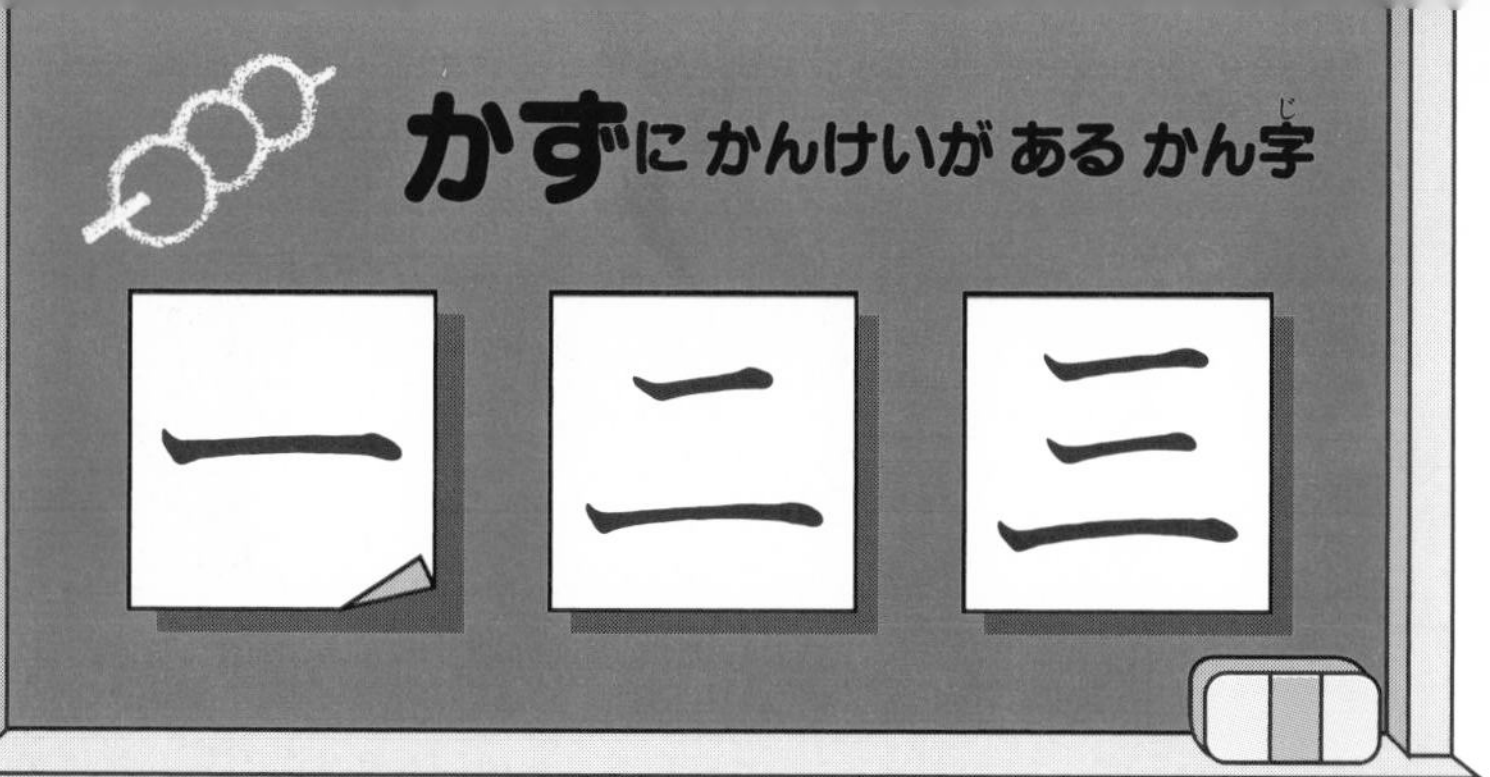
かずに かんけいが ある かん字
一
二
三

まるちゃん 早おきを するのまき
まる子と 一しょに 学校 行くの ひさしぶりだね あんた いつも ねぼうしてるから
今日は 早おき したからね

3の4
おはよう
あ まだ だれも 来てない あたしが 一番だ

あ 丸尾くん おはよう
さ さくらさんが 一番 なのですか？
ガーン

そうだよ まる子が 一番で 丸尾くんが 二番だよ
あー 何でも 一番って 気もち いいいね

いつも ちこくばかりの さくらさんが 一番で 学きゅういいんの ぼくが 二番…
と いうことは…

ズバリ さくらさん あなたは 二学きの 学きゅう いいんを ねらって いるでしょー
………

あ みんな おはよう
あっ さくらが もう 来てる！
おっ！

めずらしいな
びっくりだな
一時間目が きゅう食だと 思ったのか？
そこまで 言われる まる子って…

もうすぐ
一時間目の じゅぎょう
はじまるよ！
三人とも せきに
ついた方が
いいよ
そう言えば あと一人
ズバリ
ほなみさんが
来てない
でしょー
あ ほんとだ
たまちゃん…
お休みかな？

きのう 二人で
一しょに 帰った
ときは 元気そう
だったけど
あ チャイムが
なるぞ
三・二・一…
ガラッ
キーンコーン
カーンコーン

めずらしいね
たまちゃん
うん
目ざましが
一時間
ずれてたの
あしたは 一しょに
行こうね

つぎの日
まる子の 早おきは
一日しか もたない
のであった
まる子ーっ
たまちゃんが
むかえに
来たわよーっ!!
う〜ん

つかいかた

一

おん イチ・イツ

くん ひと・ひとつ

ぶしゅ 一●いち

※ぶしゅとは、かん字を 分るいする 目やすと なる ぶ分。じ書を 引くとき べんりです。

なりたち

「線を 一本 引いて 数の 「一」を あらわして いるんだね」

一 ⬇ 一

※なりたちとは、この かん字が どのように して 作られたかの せつ明です。

いみと ことば 1

かずの いち。ひとつ。

一人・一こ・一ぴき・一本
一羽・一日（一日）・一年

「一月一日は、一年のはじまりの日。『元日』って 言うんだよ。」

いみと ことば 2

いちばん。さいしょ。はじめ。

一番・一とうしょう（等賞）
一番星・一番ぶろ

「きのうの 夕方、一番星を 見つけたよ。」

いみと ことば 3

ひとつに まとめたもの。

一家・一山・一しょ

「たまには 一家 そろって、おんせんに 行きたいのう。」

「りんごが 一山 二百円とは、ズバリ おとく（得）でしょう。」

「おそく なったから、みんなで 一しょに 帰ろうブー。」

かきじゅん

1かく

一

まめちしき 「ついたち」は、「一月一日」のように、日づけを あらわす とき だけに つかいます。

二

おん　ニ

くん　ふた・ふたつ

ぶしゅ　二●に

ズバリ 線が 二本で
数の「二」を あらわ
して いるでしょう

なりたち
二 ⬇ 二

いみとことば 1

かずの に。ふたつ。

二人・二こ・二ひき・二本
二羽・二日・二月・二年

「今日は、たまちゃんと 二人で 公園に 行くんだ。」

「二月は、一年で いちばん みじかい 月じゃのう。」

「えんぴつを 二本 もらったから、一本 まる子に あげるわ。」

「二学き(期)も、ぼくが 学きゅう(級)いいんでしょう。」

いみとことば 2

もう いちど。ふたたび。

二ど(度)

「『にわ(庭)には 二羽の ニワトリが います』って 言える?」

「おば(化)けやしきに 行くのは、二ど(度)と ごめんだね。」

「弱いもの(者)いじめは、二ど(度)と するなよ。」

かきじゅん

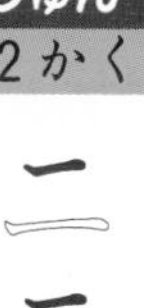

2かく

一 二

まめちしき

「二」は、上の ぼうを 少し みじかく 書いて、下の ぼうは、ちょっと 長めに 書きます。

三

おん サン
くん み・みっ みっつ
ぶしゅ 一●いち

なりたち

三

線が 三本だから 数の 「三」なんだよ

いみとことば 1

かずの さん。みっつ。
三人・三こ・三びき・三本
三羽・三日・三月・三年

「三月三日は、ひなまつり、『もものせっく』だよ。」
「何をやっても、あんたは、三日ぼうず なんだから。」
「ぼくらは、小学三年生です。もっと、しっかりしましょう。」
「おお、なんと きれいな 三日月じゃ。」

「三りん車に のって いるのが、ぼくの 妹だよ。」

「おにぎりは、ちゃんと 三角に にぎってね。」

「近じょ(所)の 三毛ねこが、子ねこを 三びき うんだよ。」

「三学き(期)は、一学き(期)や 二学き(期)より みじかいね。」

かきじゅん

3かく

一 二 三

まめちしき

「三日ぼうず」▶ すぐ あきて しまって、長つづき しない 人の ことを 言います。

四
五
六

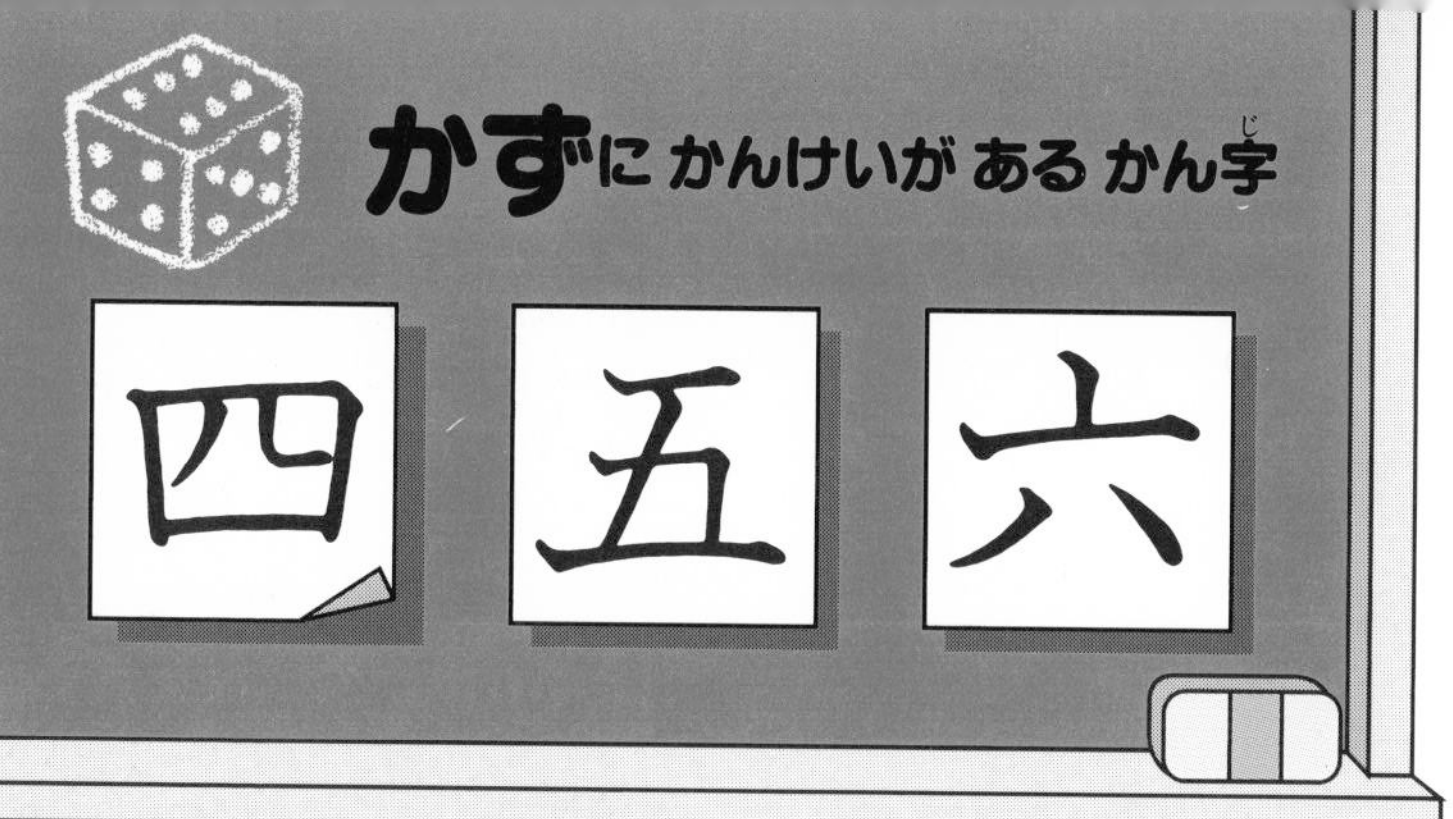
かずにかんけいがあるかん字
四
五
六

まるちゃん かくれんぼでがんばるのまき
せっかく 六人もいるんだから何かしてあそぼうよ
何するブー?
ズバリかくれんぼがいいでしょう

じゃんけんぽん!
ズバリ ぼくがオニでしょう

オニのぼくが 十 数える 間に みんな かくれる でしょう
わー
わー

一二三 四五六
七八九 十!

えーと ぜんぶで 六人 だから…
オニの ぼくを のぞけば 五人 見つければ いいわけですね

あ まず ブー太郎くん 見つけた でしょう
ブー

ズバリ そこに いるのは ほなみさん でしょう
納

じゅんちょうに 見つかって いますね
ン?
カサッ

ハイ 浜崎くん 見つけたでしょう
ギクッ
一二三… つぎは ズバリ 四人目です
のこるは 花輪くんと さくらさん だけですね
ぼっちゃま そろそろ おうちに 帰りませんと……
ズバリ 花輪くん 見つけたでしょう
ヒ… ヒデじい ちょっと まって
ついに さくらさん だけです
もうすぐ ぼくの オニも おわりでしょう
しかし 五人目の さくらさんは どこに…？
すごいね まるちゃん
早く 見つけて くれよ〜〜っ
体力が もたないよ〜〜っ
五分後 ヒデじいに たすけて もらうまで こうかい しつづけた まる子で あった

四

おん シ

くん よ・よっ　よっつ・よん

ぶしゅ 口●くにがまえ

なりたち

八 ↓ 四

四角い はこ(口)と
分かれる いみの しるし
(八)を 組み合わせたのよ

いみと ことば 1

かずの よん。よっつ。

四人・四こ・四ひき・四角
四つ角・四き(季)・四月

「四月一日は、エープリルフール。
うそを ついても いい日だよ。」

「今日は、朝ごはんを 四はい
食べてきた ブー。」

「切手を 四まい(枚)
買って きて ちょうだい。」

「四つ角の つばきの 木が、
きれいな 花を さかせたよ。」

「今月は、四回も ちこく
しちゃったよ。」

「日本は、四き(季)が あるから
すばらしいんだわね。」

「ナイス シュート。
これで 四点目 ゲットだね。」

「四人で 入れば、おば(化)け
やしきも こわくないぞ。」

かきじゅん

5かく

まめちしき

「四き(季)」▶「春」「夏」「秋」「冬」の
四つの きせつ(季節)の ことです。

五

おん　ゴ

くん　いつ・いつつ

ぶしゅ　二●に

なりたち

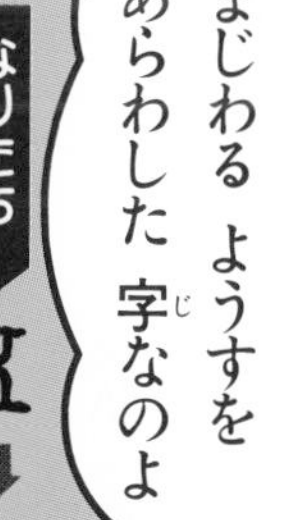

㐅

⬇

五

いみとことば 1

かずの ご。いつつ。

五人・五こ・五ひき・五回
五本・五日・五才・五時

「五月五日は、子どもの日、『たんごのせっく』だよ。」

「エジソンの でん(伝)記は、もう 五回も 読んだわ。」

「今日は、五本も なえ木を うえる ことが できた。」

「これは、ぼくが 五才の ときの しゃしん なのさ。」

「おかしを 五つも 食べたから、ばんごはんが 食べられないよ。」

「夕方 五時までには、帰って きなさいよ。」

「この ひな人形は、五人ばやしって 言うのよ。」

「『五月』に『晴れ』と 書いて、『五月晴れ』と 読みます。」

かきじゅん

4かく

五 五 五 五

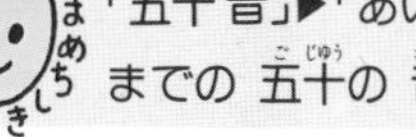

まめちしき

「五十音」▶「あいうえお」から「わいうえを」までの 五十の 音の ことを 言います。

六

おん　ロク

くん　む・むっつ
むっつ・むい

ぶしゅ　八●はち

おおいを した
あなの 形から
できた 字なんだよ

なりたち

六

いみと ことば 1

かずの ろく。むっつ。

六人・六こ・六ぴき・六回
六本・六日・六才・六時

「うちは、六人家ぞく（族）だから、
いつだって にぎやかだよ。」

「日曜 六時からは、
『ちびまる子ちゃん』を 見てね。」

「六月は、雨の 日が 多いから、
わしは、きらいじゃ。」

「この すいかを 六つに
切って 食べましょう。」

「わたしは、六年生だから、
べん（勉）強が たいへんなの。」

「ビール 六ぱいも のんだら、
よっぱらっちゃったよ。」

「お正月なんだから、
すご六でも しないか。」

「この デパートの 六かい（階）には、
おもちゃ売り場が あるのさ。」

かきじゅん

4かく

六 六 六 六

まめちしき

「六回」「六本」は、「ろっかい」「ろっぽん」と 読みます。「ろくかい」「ろくほん」は まちがい。

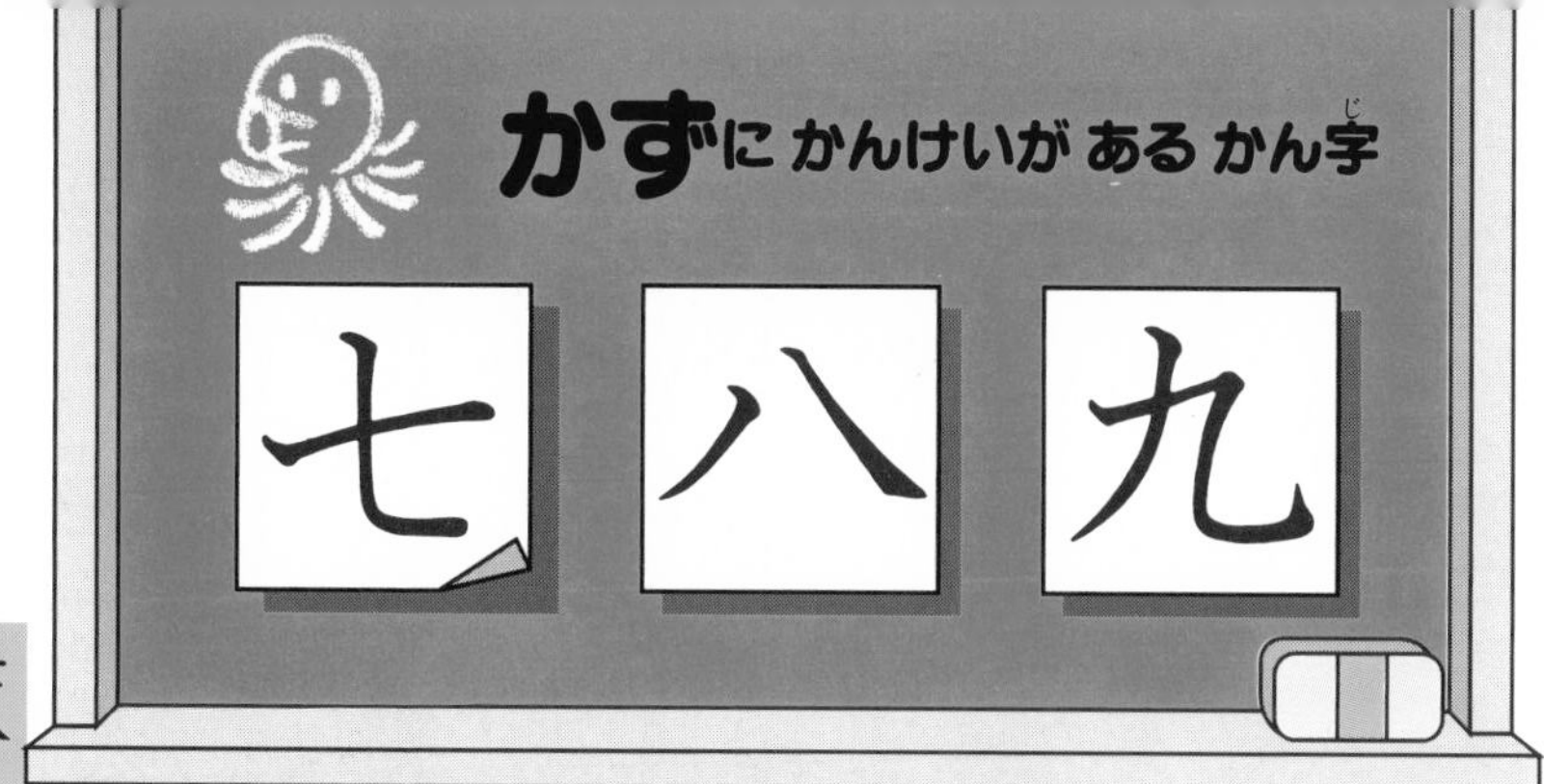

*七夕＝「たなばた」は とくべつな 読み方です。毎年、七月七日に おこなう せっくの 一つ。
*ささ＝竹の なかまの 小さい ものを すべて「ささ」と 言います。

だって
あたしゃ
あつい 八月は
にが手だよ
これが
七夕に
おねがいする
ことなの？

あんた
もう 九才
なんだから
もっと
ちゃんとした
ねがいごと
書きなさいよ
ちゃんと
してる
もん

五六七…
あら？
おかしが
七こしか
ないわ
ギクッ

たしか
十こ あった
はずだけど
？
まずい
そ〜〜っ

まる子！
へんな 時間に
おかし 食べると
ごはんが
食べられなく
なるでしょ
ヒイ〜〜ッ
ばれたか

ふん
七つも 八つも
食べたわけじゃ
ないんだから
ばんごはん
食べられなく
なるわけ
ないじゃん
たった
三こ
じゃん

七八九

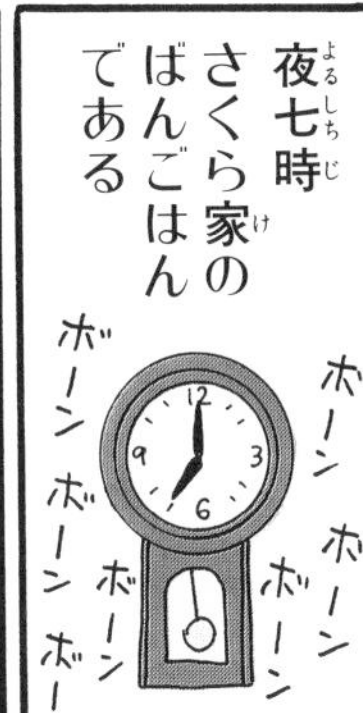
夜七時 さくら家の ばんごはん である
ボーン ボーン ボーン ボーン ボーン ボーン

いただきま――す

ほんとに 食べられ ないよ……
せっかく 大すきな ハンバーグ なのに おなか いっぱいだ

そんなわけで またまた おかしな ねがいごとを 書いてしまう まる子で あった
へんなじかんに おかしをたべても ハンバーグが たべられますように
まる子
できた

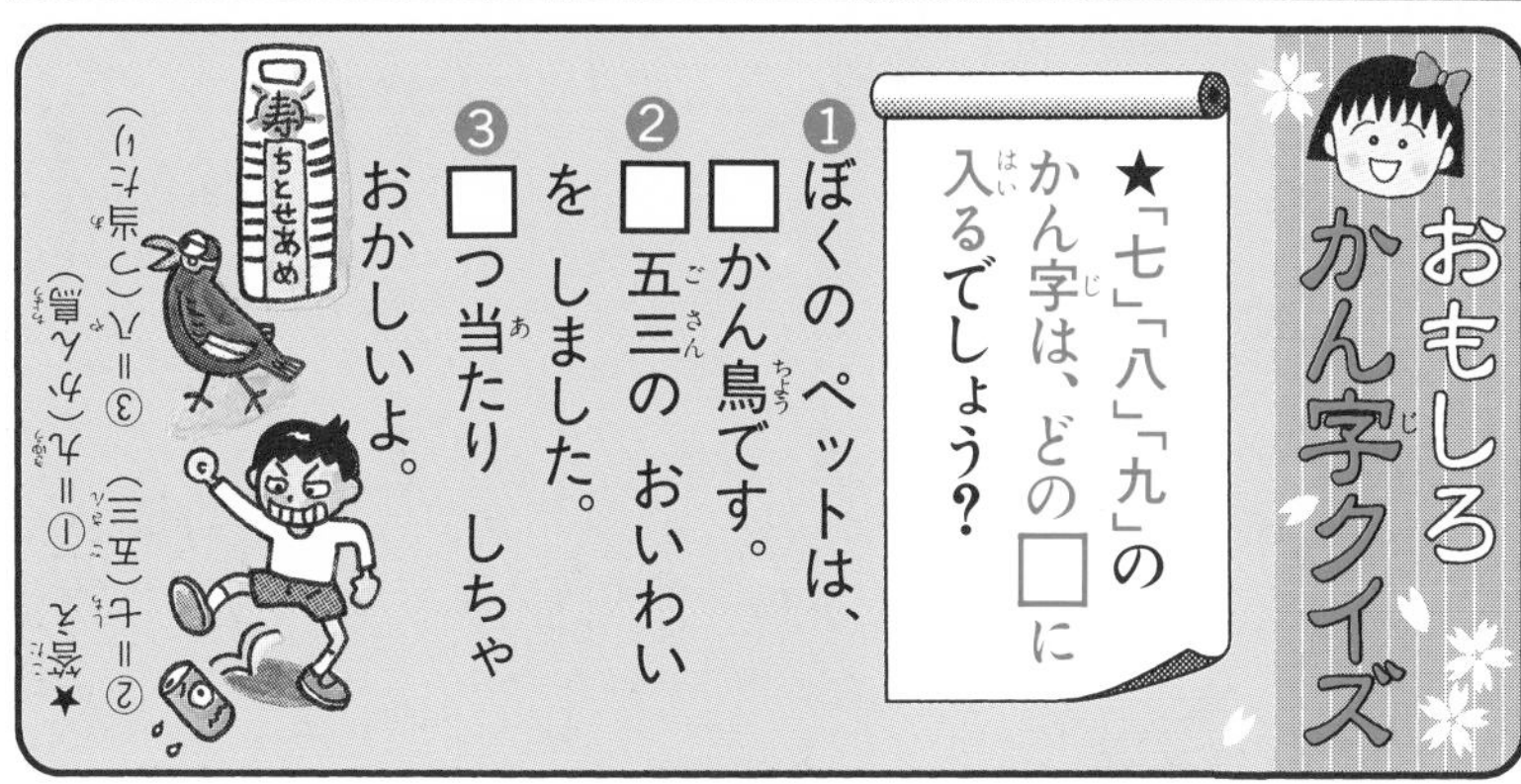
おもしろ かん字クイズ
★「七」「八」「九」の かん字は、どの□に 入るでしょう?
❶ぼくの ペットは、□かん鳥です。
❷□五三の おいわいを しました。
❸□つ当たり しちゃ おかしいよ。
寿 ちとせあめ
★答え ①＝九（かん鳥） ②＝七（五三） ③＝八（つ当たり）

七

おん　シチ

くん　なな・ななつ・なの

ぶしゅ　一●いち

なりたち

「十」の字の一ぶがおれまがった形で十の手前という いみだ

いみとことば 1

かずの なな。ななつ。

七人・七こ・七ひき（七ひき）

七本（七本）・七日・七時

「今日は、七月七日、七夕の日だね。」

「七五三の ちとせあめって、うまいよなあ。」

「一月七日は、七草だから、七草がゆを 食べるのよ。」

「『にじ』って、七色に かがやいて きれいだね。」

「クリスマスなんだから、七めん（面）鳥 食べようよ。」

「ねったい（熱帯）魚を 七ひき もらって きたわ。」

「どうよう『七つの子』は、いい 歌だねえ。」

「今月は、図書室で、七さつ（冊）本を 読んだわ。」

かきじゅん

2かく

七　七

まめちしき

「七五三」は、子どもが 三才、五才、七才のとき、じん（神）社に おまいりする。十一月十五日だ。

おん　ハチ

くん　や・やっ　やっつ・よう

ぶしゅ　八●はち

なりたち

右と 左の 二つに 分けた 形から 生まれた 字だよ

)(⬇八

いみと ことば 1

かずの はち。やっつ。

八人・八こ・八ぴき・八回

八日・八時・八月

「八月は、ヨーロッパで すごす よてい(予定)さ。」

「たん(誕)生日に、友だち 八人 よんでも いい?」

「あしたは、早おき するから、今夜は 八時に ねよう。」

「もう すぐ 八十八夜。夏が 近づいてるんだね。」

「年がじょう(賀状)が 八まい(枚) 足りないよ、どうしよう。」

「八百や(屋)さんに 行って、キャベツを 買って きてよ。」

「先生に しかられたからって、八つ当たり しないでよ。」

「公園の 八え(重)ざくらが、まんかい(満開)に なったよ。」

かきじゅん

2かく

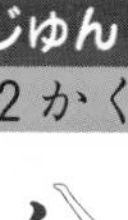

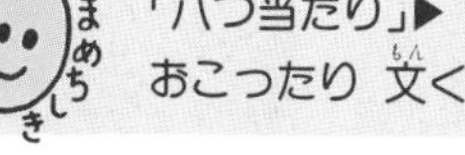

まめちしき

「八つ当たり」▶ かんけいない 人に まで、おこったり 文くを 言ったり する こと。

九

おん キュウ・ク

くん ここ　ここのつ

ぶしゅ 乙●おつ

なりたち

九

手を まげた 形から
十の 手前の 九を
あらわして いるんだ

いみとことば 1

かずの きゅう。ここのつ。

九人・九こ・九ひき・九回

九本・九日・九時

「まる子は、小学三年生、九才だよ。」

「野きゅう（球）は、一チーム九人で やるんだよ。」

「九月九日に、九しゅう（州）へ行くんだ。本当だってば。」

「九月に なっても、まだまだ あついわねえ。」

「九ちょう（丁）目の 小鳥や（屋）さんに、九かん（官）鳥が いるよ。」

「いくら ぼくでも、おもち九こは、食べすぎだな。」

「九ひき目を つり上げたぞ。魚つりは、本当に 楽しいな。」

「うちは、夜九時で、テレビの 時間は、おわりだよ。」

かきじゅん

2かく

九

九

まめちしき

「ここのつ」は、「九つ」と 書きます。「九のつ」と 書かないように ちゅういしましょう。

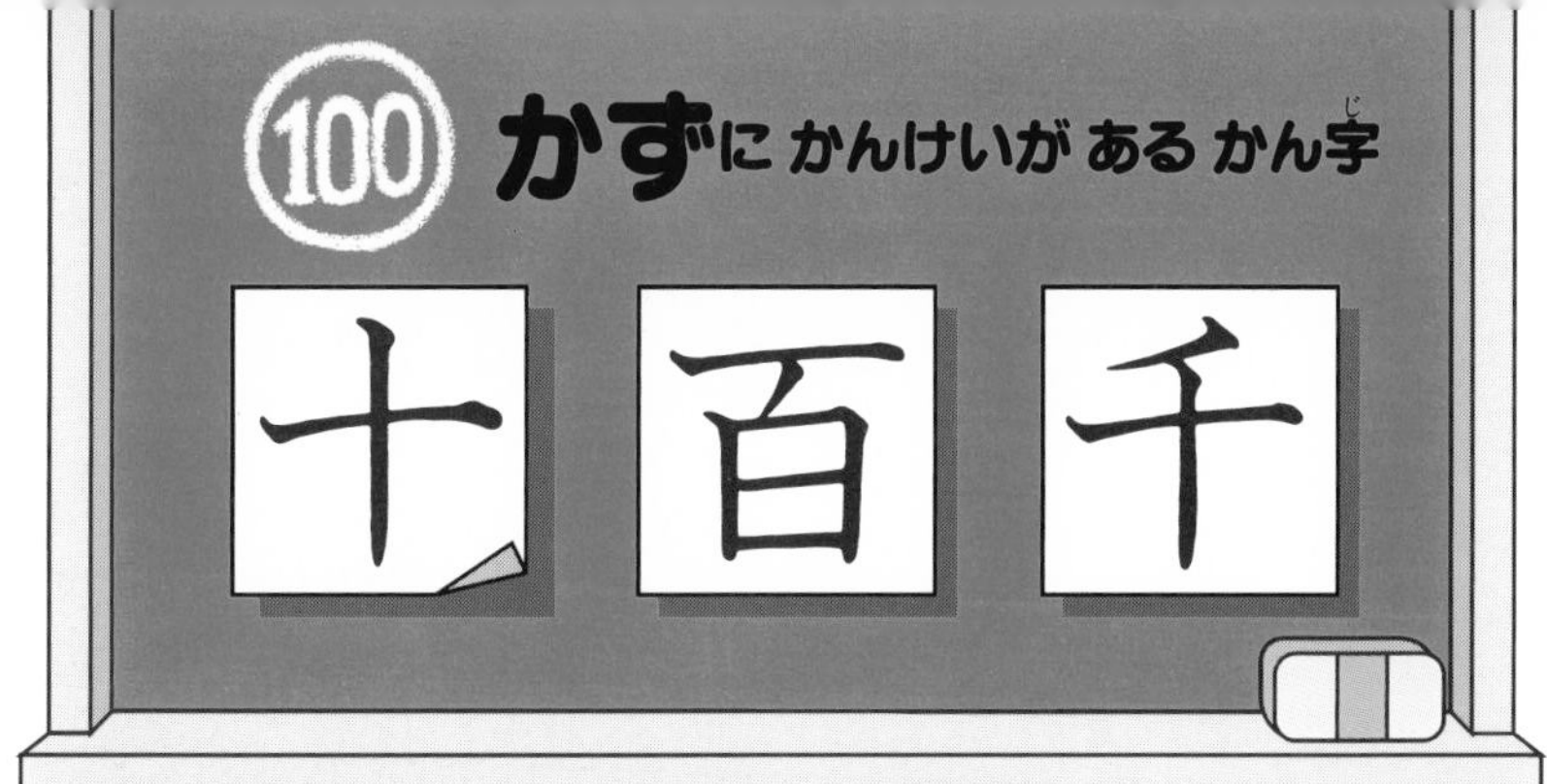

100
かずにかんけいがあるかん字
十
百
千

まるちゃん 千羽づるを おるのまき
戸川先生は今日は かぜでお休みです
えーっ
ザワ
ザワ
ザワ
ザワ

みんなも かぜをひかないように
学校から 帰ったらうがいを 十分してください

先生のお見まい行きたいいね
うん

でも 何ももって いけないね
あたし 今日百円しか もってないもん
あたしなんか十円玉が三こだよ

お花だって何百円もするよね
百三十円じゃねえ

何かいい考えはないかしら?
う〰〰ん

そうだ千羽づるをおろうよ
きれいだしー
ポンッ

十百千

＊十羽＝「じゅっぱ」では なく、「じっぱ」が 正しい 読み方です。二十羽も 「にじっぱ」と 読みます。

十

おん ジュウ・ジッ

くん とお・と

ぶしゅ 十●じゅう

なりたち

太い たての 線の まん中が ふくらんで よこに のびた 形だよ

┃ ⇩ 十

いみと ことば 1

かずの じゅう。とお。

十人・十こ・十ぴき・十回

十本・十日・十時・十月

「十円玉を 本だなの うらに おとしちゃったよ。」

「十月の だい(第)二月曜日は、体いく(育)の日です。」

「すず虫を 十ぴき、たまちゃんに あげたんだ。」

「オニの ぼくが 十 数える 間に、かくれて ください。」

「まる子、いくら 日曜日でも もう十時よ。おきなさい。」

「もう 十分あれば、ぜんぶの もんだい(問題)が とけたさ。」

「まる子が 元気なだけで、わしゃ、十分 しあわせじゃ。」

「いちごなら 十こぐらいは、いつでも 食べられる ブー。」

かき じゅん

2かく

一 十

まめちしき 日づけを 読もう▶「一日」「二日」「三日」「四日」「五日」「六日」「七日」「八日」「九日」「十日」です。

百

おん　ヒャク

くん　――

ぶしゅ　白●しろ

いみとことば 1

かずの ひゃく。

百人・百こ・百ぴき・百回

百円・百点・百まい（枚）

「今回の テストも、
また 百点でしょう。」

「あたしの おこづかい、
もう 百円 上げてよ。」

「すず虫が ふえすぎて、もう
百ぴきを こえたかもな。」

「おじいちゃんには、百才すぎ
まで 長生きして ほしいな。」

なりたち

「一」と
音を あらわす「白」を
組み合わせたんじゃよ

百→百

いみとことば 2

とても かずが おおいこと。

百科じてん（事典）・百人力

「まる子、一しょに 百か（貨）店に
行かんか？」

「まる子、また 百科じてん（事典）
出しっぱなしよ。」

「大野くんや 杉山くんと
一しょなら 百人力、心強いよ。」

かきじゅん

6かく

百 百 百 百 百 百

まめちしき　正しく 読もう▶「百本」は、「ひゃくほん」や「ひゃくぽん」では なく、「ひゃっぽん」です。

千

おん セン

くん ち

ぶしゅ 十●じゅう

なりたち

↓千

「人」に「一」を組み合わせて 作った字なんだよ

いみとことば 1

かずの せん。

千年・千人・千円・千回

千こ・千びき・千まい（枚）

「へへへ、お年玉 五千円も もらっちゃったよ。」

「花火大会には、何千人も あつまるよ。」

「うそ ついたら、はり（針）千本 のますわよ。」

「千年前に 生まれて いたら、あたし、どんなだったかな？」

いみとことば 2

とても かずが おおい こと。

千草・千人力・千羽づる

「わたし、大こん（根）の千切りが できるように なったのよ。」

「さまざまな 草花の ことを、『千草』って 言うんじゃよ。」

「お姉ちゃん、千よ（代）紙 ちょうだい。」

かきじゅん

3かく

千 千 千

まめちしき

「千人力」や「百人力」は、どちらも とても 力強い ことの たとえとして つかいます。

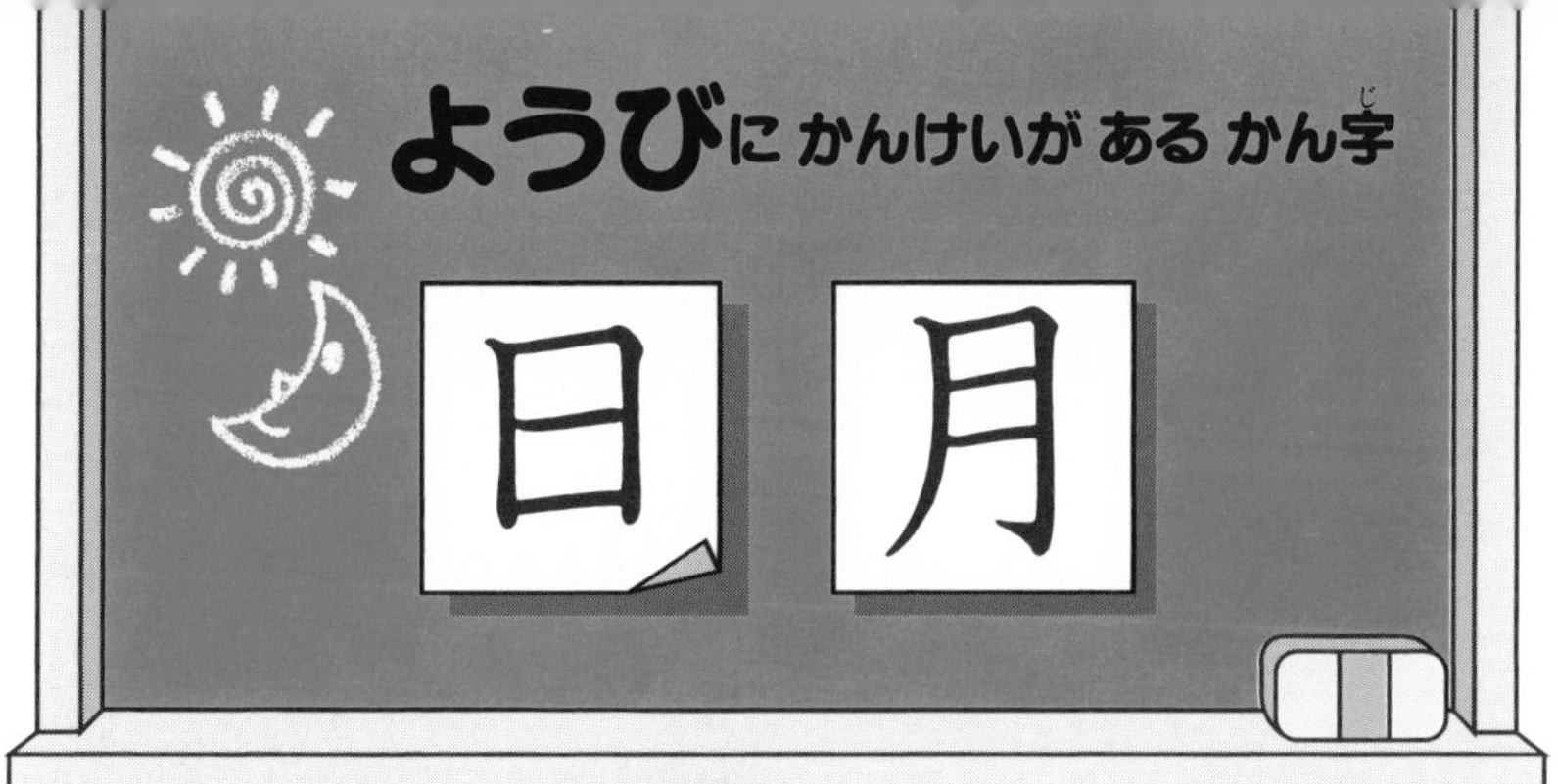
ようびにかんけいがあるかん字
日
月

「まる子の日記」日曜・月曜のまき
日曜日――
今日から、日記をつけはじめることにしました。
毎日日記を書くからね
おおえらいぞまる子
ははは どうせ三日ぼうずだよ

それに日曜だから一日じゅう うだうだねてるだけだろ?
そんなことないよ
うだうだ~
まずしゅくだいやろうっと
スクッ
おうりっぱじゃ
パチパチ

日
月

はぁ… ああは言ったけど こんな 朝から しゅくだいなんて
ポカ
ポカ
ぜんぜん やる気 おきないね
日ざしが ぽかぽかで あったかいや
うだ〜
まる子 お昼ごはん よ!
え もう?

おなかが いっぱいに なったら なんだか ねむくなって きたよ

グーグー

まる子 ばんごはんよ!
日記を はじめて 一日目―― 父の 言った通り 何も 書くことのない まる子で あった
しまった…

日月

月曜日――
先月は ちこくが 多かったので、今月は ちこく しないように、夜 早く ねる ことに しました。
ちょっと 早いけど もう ねよう

う〜〜 ぜんぜん ねむくない
パチッ
それに なんか 明るいよ

あ
カーテン
しめるの
わすれてた
しめなきゃ

うわぁ
まん月
月明かりで
明るかった
のか

ガラ ガラ
こんな
きれいな月
見られるなんて
ついてるよ

月には やっぱり
うさぎが いるのかな
考えると
わくわくするね
こうして 夜 おそくまで
月を 見ていた「まる子」は――

まる子
ちこく するわよ
また
夜ふかし
したでしょ！
う〜〜
月がぁ
つぎの日 やっぱり
ちこくしたので あった――

おもしろ
かん字クイズ
★かん字バラバラじけんだ。
三つずつ ひろい
あつめて「日」と「月」の
かん字を 作ってね！
①
②
③
④
⑤
⑥
★答え
日=②③⑤
月=①④⑥

日

おん ニチ・ジツ

くん ひ・か

ぶしゅ 日●ひ

なりたち

↓日

太よう(陽)の 形から 作られた 字なんだよ

いみと ことば 1

たいよう。たいようの ひかり。

お日さま・日当たり・日光
日なた・日かげ・日の出

「ここは、日当たりが いいから、日なたぼっこに、ぴったりだね。」

いみと ことば 2

ひにち。いちにち。

休日・さい(祭)日・一日・二日

「遠足まで、あと 三日です。まち遠しいでしょう。」

いみと ことば 3

ひるま。

日中

「日中は、あつすぎて、昼ねも できないよ。」

いみと ことば 4

にちようび。

日曜日

「あしたは、日曜日だから、ねぼうしても いいでしょ?」

かきじゅん

4かく

日 日 日 日

まめちしき

「一日じゅう」は、「一日 ずっと」と いう いみ。「日中」は、「昼間」と いう いみです。

月

おん　ゲツ・ガツ

くん　つき

ぶしゅ　月●つき

なりたち

（古代文字）

⬇

月

三日月の 形を あらわして いる 字だよ

いみとことば 1

つき。つきの ひかり。

まん(満)月・半月・三日月

月明かり・月光・月夜

「きれいな 月じゃ。こういう 月を『名月』と 言うんじゃよ。」

いみとことば 2

いっかげつ。ひとつき。

お正月・先月・今月・年月

「今月の 目ひょう(標)は、早ね早おきに したよ。」

いみとことば 3

げつようび。

月曜日

「もう 十二月か。今年も、あっと いう 間だったな。」

「この 本は、月一回 はつ(発)売される 月かんし(刊誌)よ。」

「来週は、ふりかえ休日で、月曜日も お休みです。」

かきじゅん

4かく

月 月 月 月

まめちしき　ことばの いみ▶「まん(満)月」は、まん丸な 形を した 月の ことを 言います。

かん字なるほどものがたり

かん字のはじまりって!?

今から 三千年 い(以)上も むかしの 中国で 作られた かん字。 はじめの かん字は、 ものの 形から できました。

●三つの 山の 形から

山

●川の ながれる ようすから

川

★ものの 形から できた かん字を しょう(象)形文字と 言います。

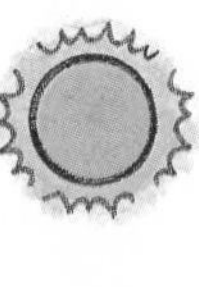

●太よう(陽)の 形から

日

●三日月の 形から

月

●手と 足を 広げた 人の すがたから

大

●火の ほのおの 形から

火

ようびに かんけいが ある かん字

火 水 木

火水木

水曜日――
お花に 水を やって いたら、たまちゃんが あそびに 来ました。
まるちゃん
あ お花に 水やってる
うん ちょっと まってて
お水やらないと かれちゃう からね
そうだね
まる子や!
ちょっと 見てごらん

どうじゃ♡
ビュ〜
うわ〜〜〜「にじ」だあ
水って すごいね
しかし――
だれ!? ほしてた せんたくものに 水かけたの!
ちょうしに のりすぎた 自分を こうかいする 友蔵で あった

木曜日――
学校の帰り道、木を うえている 佐々木の じいさんと 会いました。

佐々木の じいさん また 木を うえているの?
ああ

こうやって
一本一本 なえ木を
うえていけば
十年後 二十年後には
大木に なって
きれいな がいろじゅに
なるんだよ

ふうん
そんな 小さな
木が ねえ……
佐々木の
じいさんの 話を 聞いて
道ろを 見ると

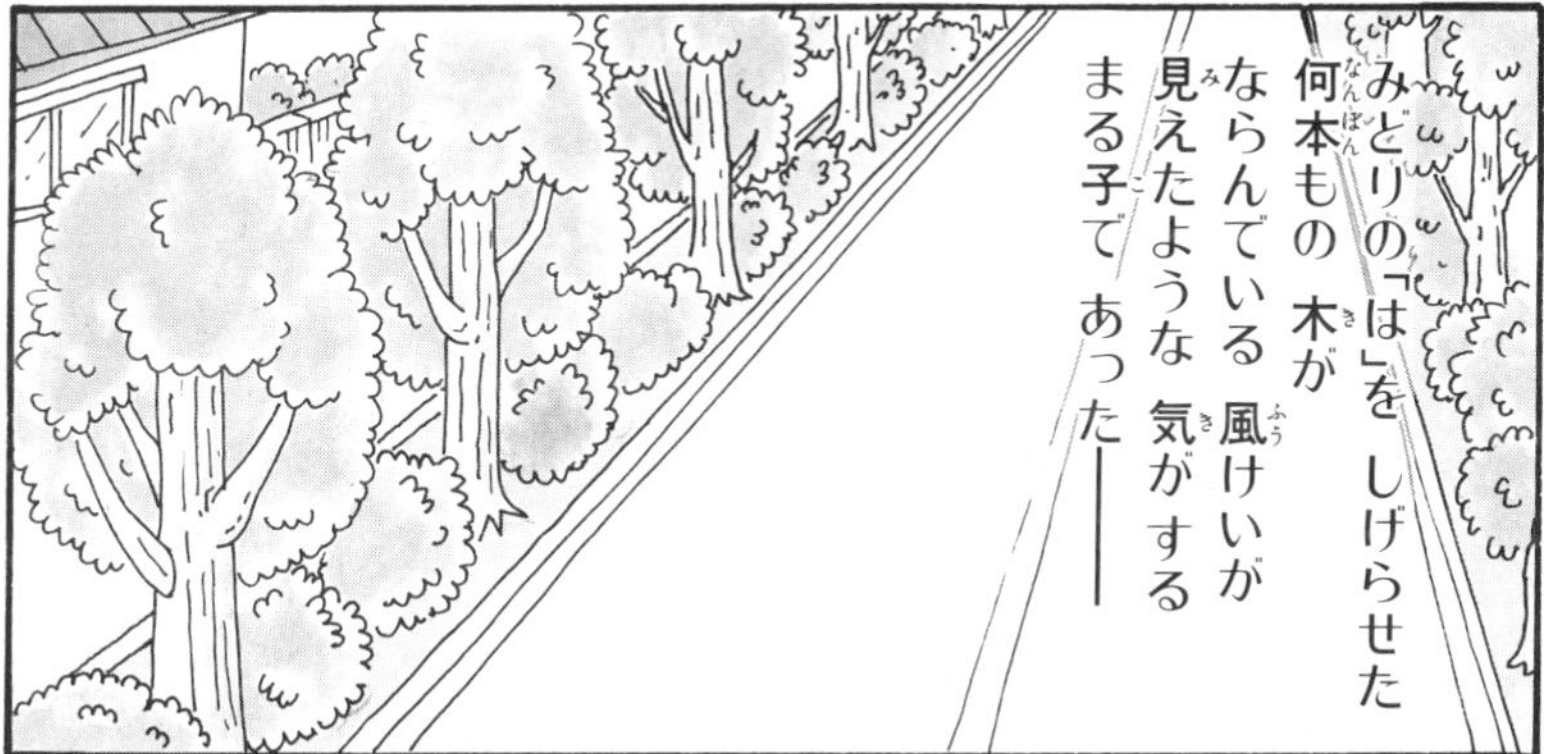
みどりの「は」を しげらせた
何本もの 木が
ならんでいる 風けいが
見えたような 気がする
まる子で あった――

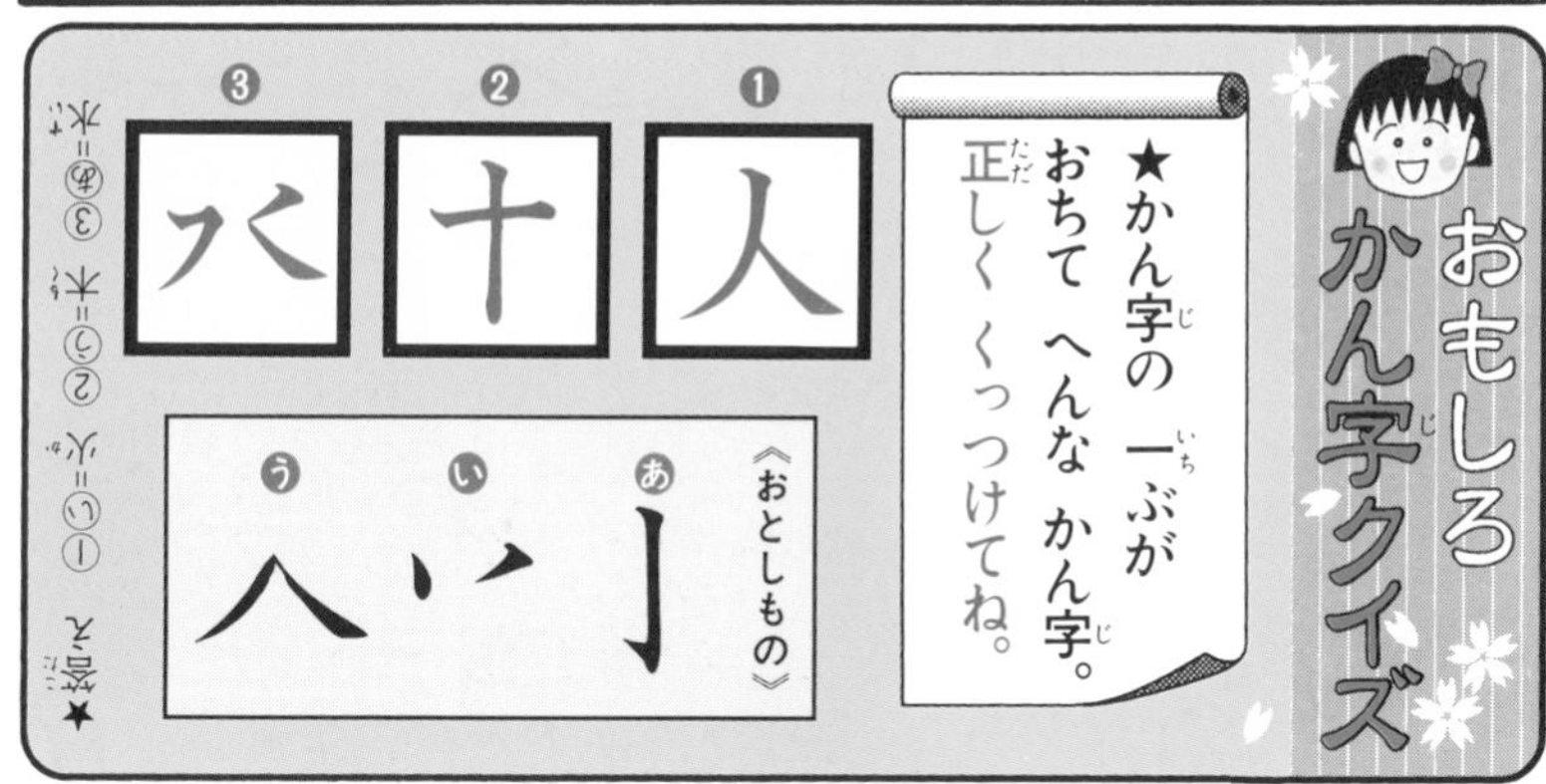
おもしろかん字クイズ
★かん字の 一ぶが
おちて へんな かん字。
正しく くっつけてね。
①
人
②
十
③
フく
《おとしもの》
あ
亅
い
丷
う
ヘ
★答え ①(い)=火 ②(う)=木 ③(あ)=水

火

おん　カ

くん　ひ

ぶしゅ　火・ひ

なりたち

もえて いる ほのおの 形を あらわしてるんだね

いみとことば 1

ひ。ほのお。もえる こと。

花火・たき火・火山

火じ（事）・火さい（災）

「ぼくの家は、火じ（事）でぜんしょうしたんだ。」

「ズバリ 火の用心は、大切です。みんなで 心がけましょう。」

「あした、お父さんと花火大会に 行くんだよ。」

「まる子や、たき火を して、おいもを やこう。」

いみとことば 2

かようび。

火曜日

「走って ころんで、目から火花が 出ちゃったよ。」

「日本には、火山がたくさん あります。」

「知ってるか？ 火曜日に、かん字の テストが あるぞ。」

かきじゅん

4かく

「火」▶左がわの 点（・）は 止めて、右のは 左下に むけて 小さく はらい（↗）ます。

水

おん　スイ
くん　みず
ぶしゅ　水●みず

なりたち
巛→水

いみとことば1

みず。えきたい。

のみ水・雨水・ふん水
水えい（泳）・地下水・水玉

「あしたの　体いく（育）は、プールで　水えい（泳）を　します。」

「ねえ、水ぞくかん（族館）に　つれて　行ってよ。」

「あたしの　家も、水がい（害）で　水びたしに　なったの。」

「ふん水に　日光が　当たって、にじが　できて　いるよ。」

いみとことば2

すいようび。

水曜日

「お花に　水を　やらないと、かわいそうだよ。」

「きのうの　雨で、川の　水が　ずいぶん　ふえたね。」

「水曜日の　きゅう（給）食は、ごうかだったなあ。」

かきじゅん

4かく

水水水水

まめちしき　「水」▶左の（フ）は、一画で　書き、右の（く）は、二画で　たてぼうに　つけて　書きます。

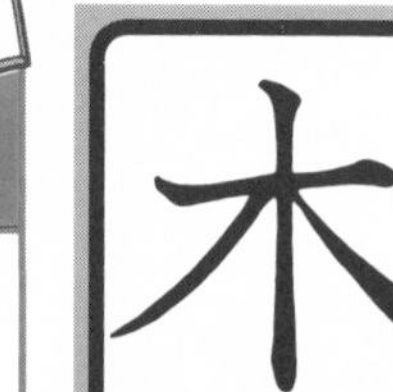

木

おん ボク・モク

くん き・こ

ぶしゅ 木●き

なりたち

地めん（面）に 生えて いる 木の 形から できた 字なのです

→ 木

いみとことば 1

はえて いる き。たちき。

さくらの 木・すぎの 木

なみ木・うえ木・草木

「あつい 日には、木かげで 休むと 気もちが いいね。」

いみとことば 2

ざいりように なる き。

木ざい（材）・木ぞう（造）

つみ木

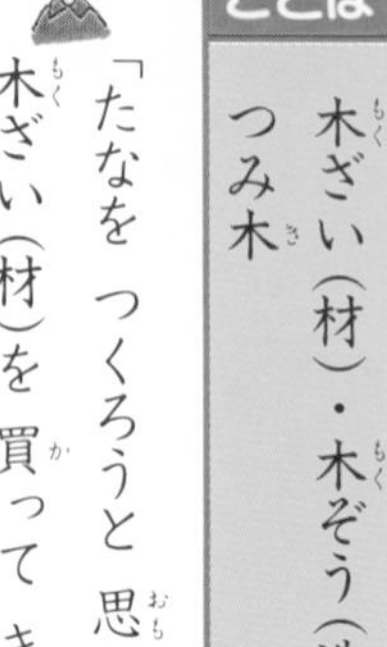

「たなを つくろうと 思って、木ざい（材）を 買って きたぞ。」

いみとことば 3

もくようび。

木曜日

「わたしたちは、木ぞう（造）の 校しゃに 通ったのよ。」

「ようち園の ころは、一日じゅう つみ木で あそんでいたわ。」

「木曜日の 夜は、すごい 雨だったな。」

かきじゅん

4かく

まめちしき

「木のは」「木かげ」は、「きのは」「きかげ」では なく、「このは」「こかげ」と 読みます。

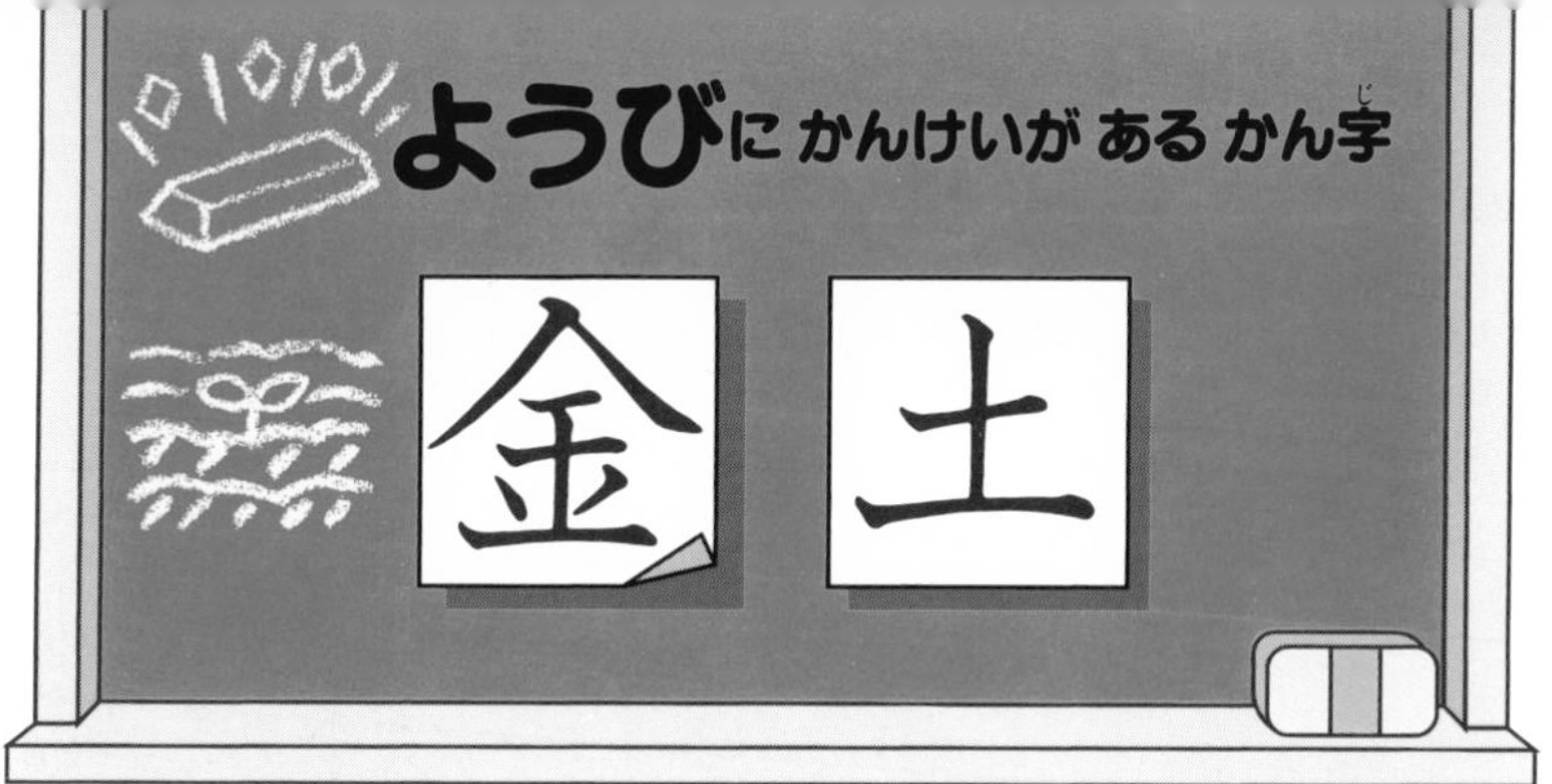

さすが お金もちだね 絵の「がく」まで 金色だよ

その がくぶちは じゅん金せい かも 知れません

もしも じゅん金 だと したら

ズバリ ものすごい 金がく でしょう!
おおっ
えー!?
めったに 見られないから ようく 見ておこう
それが いいでしょう
うん じゅん金だものね

ジ〜〜
あの… みんな……
ジ〜〜

がく じゃなくて 中の絵を 見た方が いいよ
その がくは じゅん金でも なんでも ないし…ね
花輪くんの 言う通りだと 思う 四人で あった

土曜日—
じゅぎょうで、ねん土細工を しました。
よし できた!

みなさん できましたね
じゃあ 一人ずつ 作ひんを はっぴょう して ください

*上手＝「じょうず」は とくべつな 読み方です。

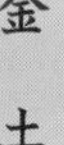

おもしろかん字クイズ

★「金」の 字の 一ぶが きえて、へんな かん字。さて、きえた かん字は、つぎの どれでしょう？

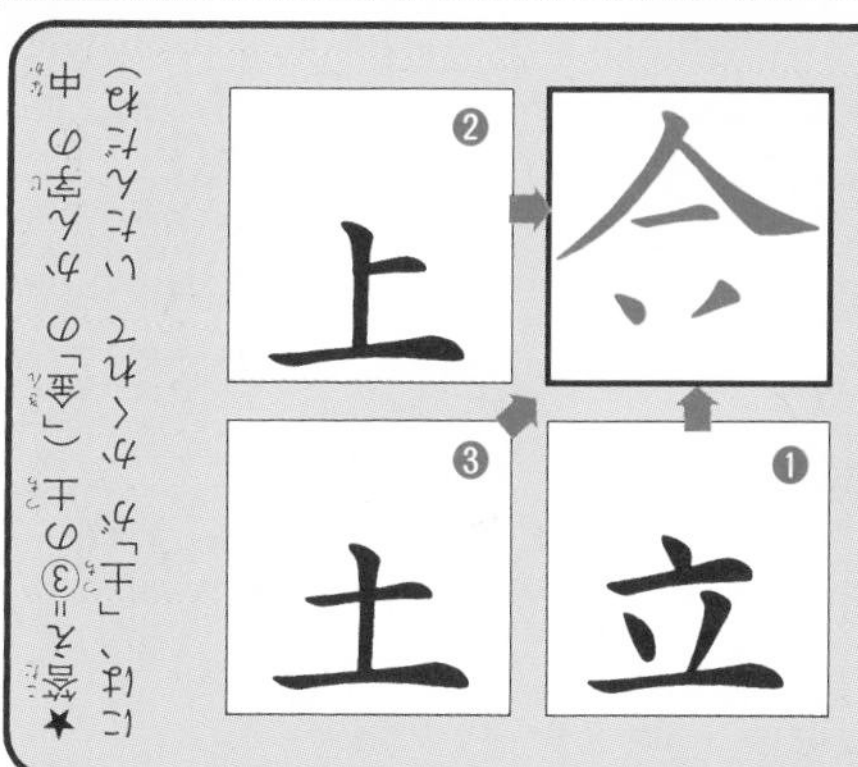

★答え＝③の土（「金」の かん字の 中には、「土」が かくれて いたんだね）

おん キン・コン

くん かね・かな

ぶしゅ 金●かね

なりたち 金→金

土と その中に ふくまれる 金の つぶを あらわした 字なのさ

いみとことば 1

きん。こがね。きんいろ。

金色・金魚・金か(貨)
黄金・金の のべぼう

「金か(貨)なんて、一ど(度)も見たこと ないな。」

いみとことば 2

きんぞく。かなもの。

金ぞく・金あみ・金づち
金もの(物)・金ぐ(具)

「うさぎ小や(屋)に、先生が金あみを はって くれたよ。」

いみとことば 3

おかね。

お金・金もち・ちょ(貯)金

「花輪くんちは、本当に大金もちだなあ。」

いみとことば 4

きんようび。

金曜日

「金曜日の 二時間目は、にが手な 算数だよ。」

かきじゅん 8かく

まめちしき 「ちょ(貯)金」▶ お金を ためる こと。また、ためた お金のこと。

土

おん　ド・ト

くん　つち

ぶしゅ　土●つち

なりたち

もり上げた土の 形を あらわして いるのよ

いみと ことば 1

つち。どろ。

土いじり・土けむり
土ぼこり・ねん土・土足

「ブー太郎くん、土足で 教室に 入っては、いけないでしょう。」

いみと ことば 2

じめん。とち。

地めん（面）・土地・土手

「たまちゃん、川の 土手に あそびに 行こう。」

いみと ことば 3

くに。ちほう。

国土・風土・きょう土

「日本の 国土は、山が 多いのが とくちょうです。」

いみと ことば 4

どようび。

土曜日

「土曜日の 午後、わしと うえ木市に 出かけよう。」

かきじゅん

3かく

土　土　土

まめちしき　ことばの いみ▶「土足」とは、「はきものを はいた まま」と いう いみです。

かん字なるほどものがたり

ものの 形が
かん字に
なったんだね

かん字って「絵」みたい♡

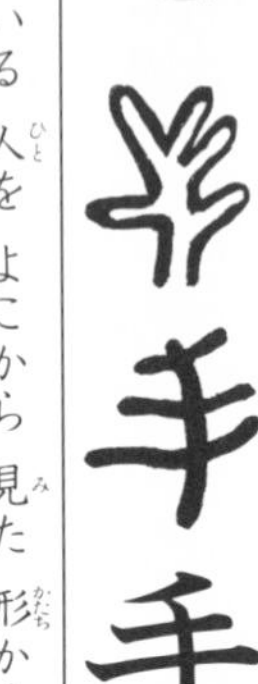

●木の えだと 木の ねっこの 形から

木

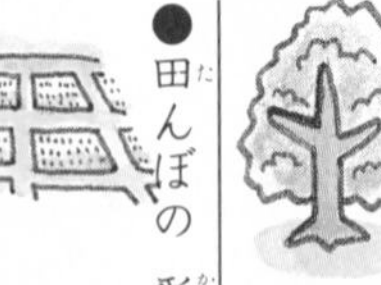
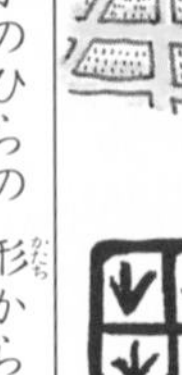

●田んぼの 形から

田

●手のひらの 形から

手

●立って いる 人を よこから 見た 形から

人

●雨が 雲から おちる ようすから

雨

しょう(象)形文字を いろいろ 組み合わせた、新しい かん字も たくさん 作られました。

●木の 下で 人が すわって➡「休」

休

●田んぼで 力しごと➡「男」

男

からだにかんけいがあるかん字

手 足 力

まるちゃん へやを かたづけるのまき
お姉ちゃん あたしの 手ぶくろ 知らない？
あれ？ 何 してるの？
へやを かたづけてるの！ まる子も 手つだいなさい
ほとんど まる子が ちらかしてるん だから

そうじの お手つだいか… 手ぶくろ さがしに 来たのに……
ハア
モタ
モタ
何 ブツブツ 言ってるの？
まじめに やりなさい！

まじめに
やってるよ！
しょうがない
でしょ
あたしの方が
手も足も
ちっちゃいし
力も ないんだから
文く 言うなら
力もちの
お姉ちゃん 一人で
やってよ
きょう力
する気が
なくなるよ
フンッ
けりっ
まんが

あ！
さがしてた
手ぶくろが
こんなところに

もう 足のふみ場も
ないくらい
ちらかしちゃって……
ん？
けって
よかった♡
じぶんの 足に
はく手
しちゃうよ
えらいぞ
あたしの足
パチパチ
まんが

あんたね
二人で 力を
合わせて
やれば
すぐ
おわるんだから
ちゃんと
やりなさい！
ふう……
しかし ほんとに
ちらかってるね
あんたが
ちらかしたので
ある

あっ
こっちには
一年生の ときの
算数の
ドリルが ある！

さんすう
なまえ さくらももこ
たしざん
①1＋1＝2
②2＋3＝5
③3＋4＝7

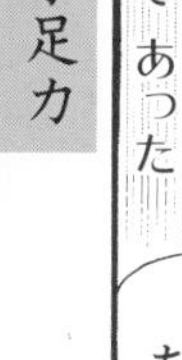

手

おん シュ
くん て・た㊥
ぶしゅ 手●て
※㊥は、中学でならう読み。

なりたち
人の てのひらの形を あらわした字なんだって
↓手

いみとことば 1
て。うで。
手足・右手・左手
あく手・はく手・手話
「花輪くんと あく手が できて、本当に うれしいわ。」

いみとことば 2
てを つかって やる こと。
手紙・手じゅつ(術)
手じな(品)
「文通して いた ころの 手紙は、あたしの 思い出だよ。」

いみとことば 3
ひと。
せん手・歌手・うんてん手
「ぼくの ゆめは、一りゅう(流)の サッカーせん手に なる ことさ。」

いみとことば 4
やりかた。
手口・手だん・手本・手入れ
「今日は、お父さんと 花だんの 手入れを するんだ。」

かきじゅん
4かく
手 手 手 手

「手」▶ いちばん 上は、よこぼう(一)ではなく、左に はらい(ノ)ます。ちゅういしよう。

足

おん　ソク

くん　あし・たりる・たす

ぶしゅ　足●あし

なりたち

足→足

ひざ（口）とすねと足首（止）を合わせた字なのだ

いみとことば 1

あし。

手足・右足・左足・足音
足首・足あと・土足・前足

「ろう下に土足の足あと…。ズバリ、ブー太郎くんでしょう。」

いみとことば 2

あるくこと。でかけること。

遠足・足早・かけ足
いそぎ足・足手まとい

「かけ足で来たのに、今日もちこくだよ。」

いみとことば 3

たすこと。くわえること。たりること。

足し算・まん足・ふ（不）足

「こんなおやつじゃ、もの足りないよ。」

いみとことば 4

くつやはきもののかぞえかた。

一足・二足・三足

「お出かけ用のくつは、一足あればいいでしょう。」

かきじゅん

7かく

足足足足足足足

まめちしき

「まん足」▶みち足りていること。「不足」は、足りないことです。

力

おん リョク・リキ

くん ちから

ぶしゅ 力●ちから

なりたち

うでの 力こぶの 形を あらわして いる 字だね

→ 力

いみとことば 1

ちから。

力もち・体力・ぜん(全)力

学力・じつ(実)力・かい力

「お姉ちゃんは、い(意)外に力もちだよね。」

「体力には、あんまり自しん(信)が ないんだ。」

「今ど(度)の うんどう会では、ぜん(全)力を 出す つもりさ。」

「お昼ねの み力には、かてない あたしだよ。」

いみとことば 2

いっしょうけんめい やること。

力作・ど(努)力・力走

「おお、まる子の かいた 絵は、なかなかの 力作じゃのう。」

「学きゅう(級)いいんの ぼくは、ど(努)力の 人と 言えるでしょう。」

「せい(勢)力の 強い 台風が、近づいて きているんだってよ。」

かきじゅん

2かく

力 力

まめちしき ことばの いみ▶「ど(努)力」とは、「力の かぎり がんばる」と いう いみです。

からだにかんけいがあるかん字

口　耳　目

まるちゃんの目にゴミが入るのまき
お姉ちゃん 目に ごみが 入っちゃったよ とって——
見せて ごらん なさい!

ギュ〜〜ッ
目を とじてちゃ とれないでしょ あけなさい!
パチッ
そっちじゃ なくて ごみの 入った 方の 目よ!

口耳目

こわくて あけられ ないんだよ
でも あけなきゃ 見えないん だから…

じゃあ あけるよ ハイ
あ〜〜ん
口じゃなくて 目でしょ!

こんな 時に ふざけ ないの!
いたたた 耳 引っぱら ないで 耳!

エーン
エーン
こまってる 妹の耳 引っぱるなんて ひどいよ
あんたが ふざける から でしょ

もう いい お母さんに たのむから
そう しなさい
エーン

お姉ちゃんに 目に ごみ 入れられて 耳 引っぱられたって 言おう
そんな わる口 言うなら もう ぜっ交 だからね

おもしろかん字クイズ
★『かん字ふくわらい』だよ。「目」「口」「耳」が正しい いちに あるのは、どれ？
1
口
目
目
口
耳
2
耳
目
目
耳
口
口
3
耳
耳
目
目
口
口
★答え＝②

おかしいね 目に ごみなんか 入ってないよ
え？ そんな はずは…

ほんとだ いたく ないや
なみだと 一しょに ながれ 出ちゃったんだ
パチ
パチ

お姉ちゃん さっきは 耳を 引っぱってくれて ありがとう
あんたは 目の ごみとりの 天才だよ
？
何の ことやら 理かいに くるしむ 姉で あった

口耳目

口

おん コウ・ク

くん くち

ぶしゅ 口●くち

なりたち

人の 口の 形を あらわして いるんだ ブー

いみと ことば 1

ひとや どうぶつの くち。

口を あける・口元

口ぶえ・口べに・口ひげ

「口に もの 入れて、しゃべるんじゃ ないの。」

いみと ことば 2

いうこと。くちに する こと。

早口・口出し・口ごたえ

口ちょう

「ぼくは、口べた だから、うまく 言えないんだ。」

いみと ことば 3

でたり はいったり する ところ。

入り口・出口・うら口・戸口

「ひなんくんれんだから、ひじょう口から 出ましょう。」

いみと ことば 4

かず。しゅるい。

人口・大口・小口

「うちの 町も、さいきんは、人口が ふえたなあ。」

かきじゅん

3かく

まめちしき

「口」▶ 書き方は、一画目の おわりと 三画目の おわりが 少し はみ出ます。

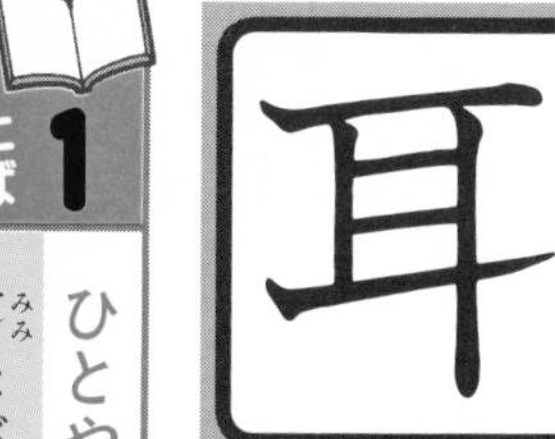

おん　ジ㊥

くん　みみ

ぶしゅ　耳●みみ

※㊥は、中学でならう読み。

なりたち

𦔮⬇耳

人間の 耳たぶの
形を あらわして
いるんじゃ

いみとことば 1

ひとや どうぶつの みみ。

耳たぶ・耳元・耳かき
耳せん・耳そうじ

「まる子、耳そうじ してる
ときは、うごいちゃ だめよ。」

「うさぎの 耳って、
どうして 長いのかな？」

「耳を すますと、
虫の 声が 聞こえるよ。」

「耳元で ささやかれると、
くすぐったいよ。」

いみとことば 2

きくこと。みみに する こと。

はつ耳・空耳・耳ざわり

「山田、あんたの わらい声は、
耳ざわりなんだよ。」

「まるちゃんは、本当に
早耳だね。」

「さくらくんが まんが家に
なりたいだなんて、はつ耳だよ。」

かきじゅん

6かく

耳 耳 耳 耳 耳 耳

まめちしき

「はつ耳」▶ そのとき、はじめて 聞いた
こと。《れい》「その 話は、はつ耳だよ。」

目

おん　モク・ボク㊥

くん　め

ぶしゅ　目●め

※㊥は、中学でならう読み。

なりたち

⬇目

人の 目の 形を あらわして いる 字なんだよ

いみとことば 1

ひとや どうぶつなどの め。

目玉・目ぐすり・目を回す

目元・目じり・目ざまし時計

「お年玉で、目ざまし時計を買ったんだ。」

いみとことば 2

ねらい。たいせつな ところ。

目ひょう(標)・目てき(的)

目当て

「あんた、おこづかい 目当てで、お手伝い してるんでしょう。」

いみとことば 3

ひとつ ひとつ わけた もの。

目じ(次)・科目・しゅ(種)目

「ぼくの にが手な 科目は、ズバリ 体いく(育)でしょう。」

いみとことば 4

じゅんばん。くぎり。

一番目・二日目・目もり

「二学き(期)の 一日目から、ちこくしちゃったよ。」

かきじゅん

5かく

まめちしき

「目」▶二画目は、よこ画から たて画へ おれるように 書く(𠃌)ので、「おれ」と 言います。

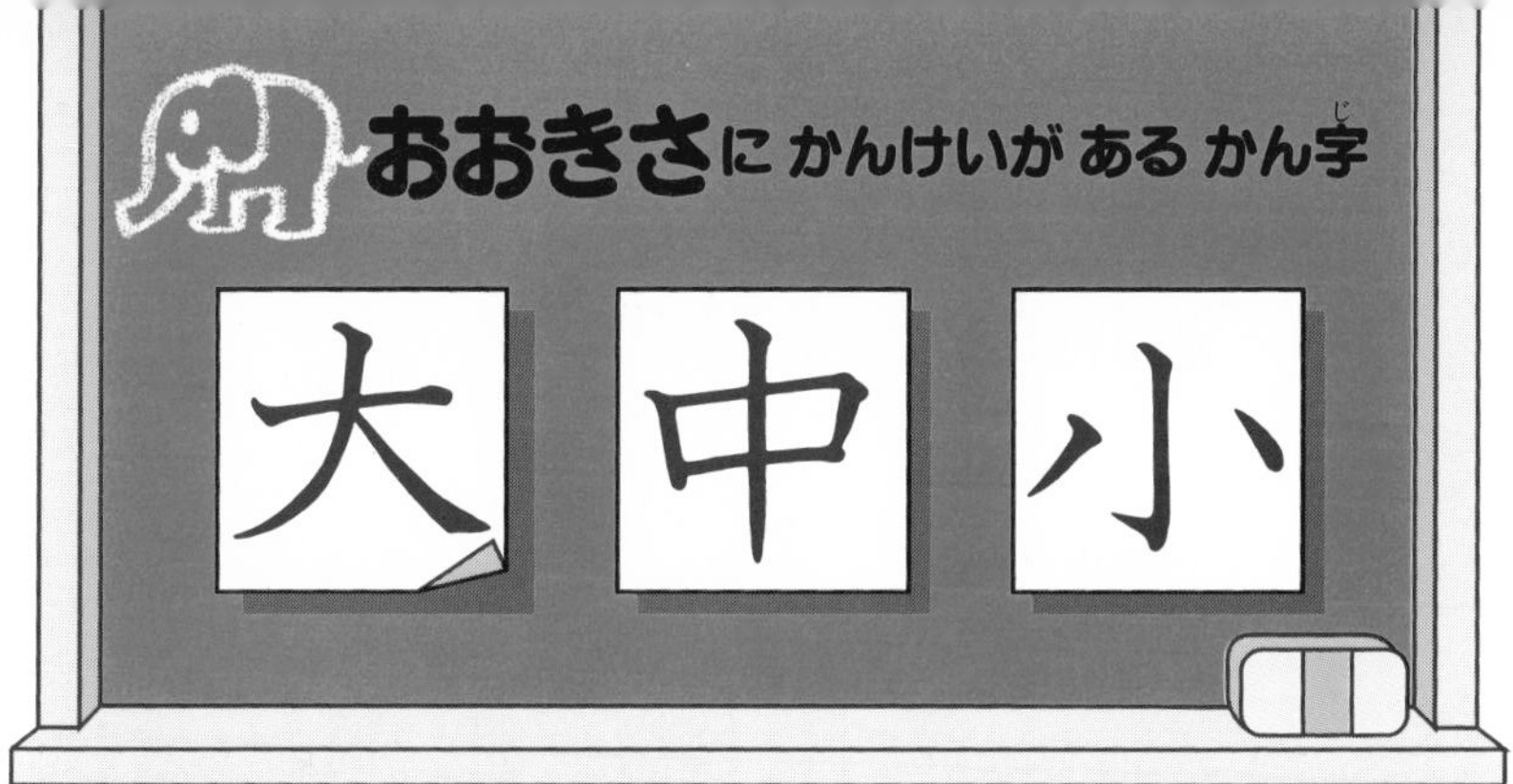
おおきさにかんけいがあるかん字
大
中
小

まるちゃんの ゆめのまき
ろうかは
はしらない
まるちゃん
大きくなったら
何に
なりたいの？
大きく
なったら？

まるちゃんの
ゆめよ
ゆめ！
う〜〜ん
ゆめか……

小学校
中学校
高校…
大学って
そつぎょう
して
それから…

大中小

まんが家になりたいんだあ
なれるかどうかわからないけど
なれるよまるちゃんならきっと
それにゆめは大きい方がいいって先生も言ってたじゃない
そうかな?

じつはそのために今べん強中なんだ
べん強中って?
ほら
くらすのみんな
まるお
はまじ
せきぐち
わあにてる!

ん?何に顔絵?
わあぜんぜんにてないな
ゲッはまじ
あ!
おれそんなに目が小さくないし
口もそんなに大きくないよ
はまじ

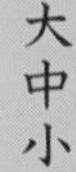
大中小

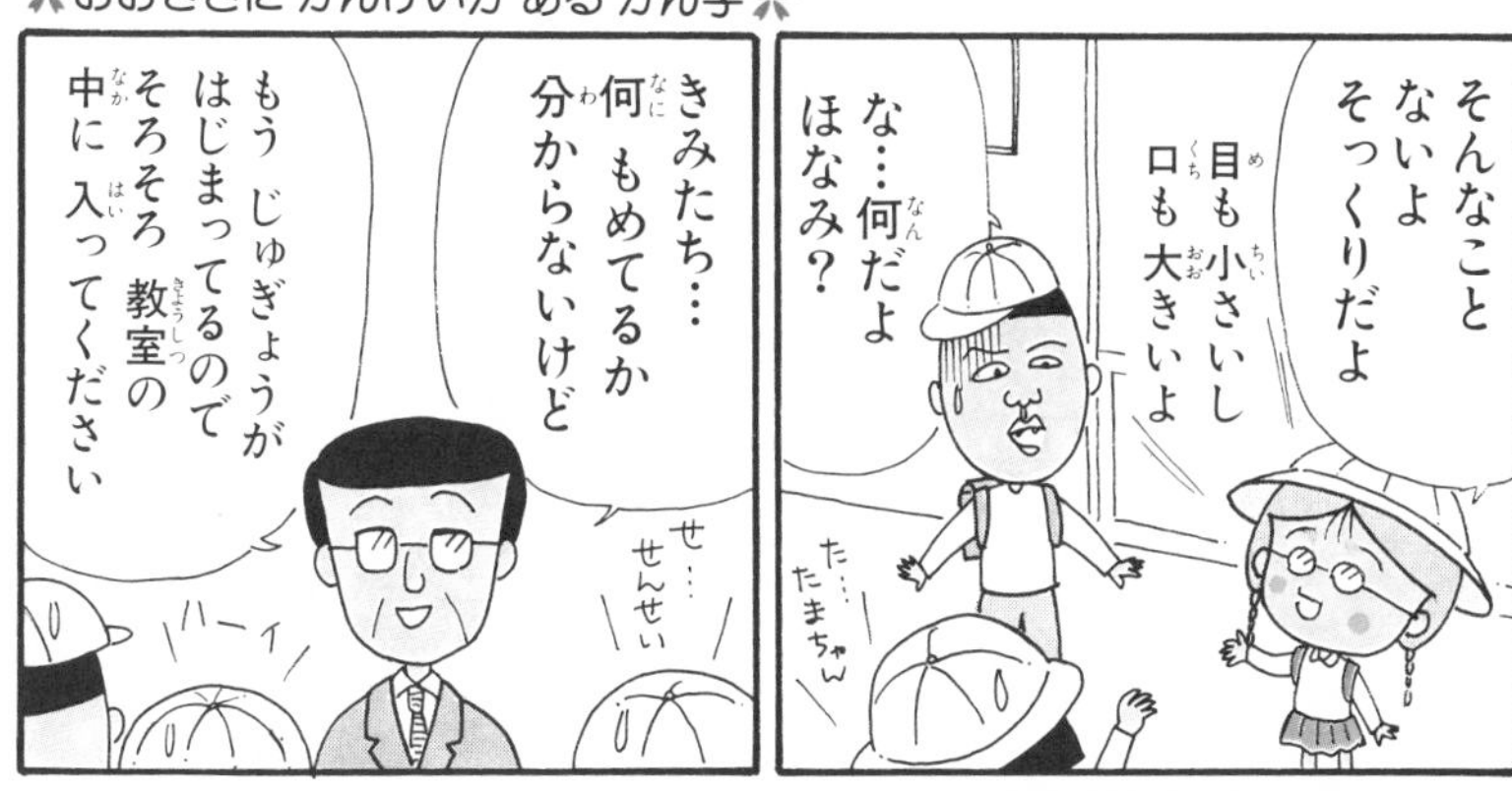
そんなこと ないよ そっくりだよ
目も小さいし 口も大きいよ
な…何だよ ほなみ？
た…たまちゃん
きみたち…何も めてるか 分からないけど
もう じゅぎょうが はじまってるので そろそろ 教室の 中に 入ってください
せ…せんせい
ハーイ

じゅぎょう中—

ふう どうなる ことかと 思ったよ
…でも くやしいな はまじのやつ あたしの かいた 絵を…

ようし そっくりに かいて みんなを びっくり させて やる！
フン

さくらさん わたしの めがねは もっと小さい ですよ
それから 今は 国語の 時間 なんですが…
じゅぎょう中なのを すっかり わすれていた まる子で あった

大中小

大

おん　ダイ・タイ

くん　おお・おおきい　おおいに

ぶしゅ　大●だい

なりたち　大→大

手と 足を 大きく 広げた 人間を あらわして いるでしょう

いみと ことば 1

おおきい こと。ひろい こと。

大小・大声・大空・大木
大男・大通り

「大空を 見上げて いると、なやみなんて ふっとぶね。」

「お姉ちゃんは、あたしより 目が 大きいよね。」

「そんな 大声 出さなくても 聞こえて いるよ。」

「こんな 小さな 木でも、いつかは、大木に なるんですよ。」

いみと ことば 2

りょうや かずが おおいこと。

大雨・大金・大ぜい・大いそぎ

「ぼくに とっては、千円は、大金だよ。」

いみと ことば 3

すぐれて いる。もっとも よいこと。

い大・大王・大じ(事)・大切

「エジソンは、い大な 人って くらい 知って いるわよ。」

かきじゅん

3かく

大 大 大

まめちしき　正しく 読もう▶「大木」は、「だいぼく」では ありません。「たいぼく」と 読みます。

中

おん チュウ

くん なか

ぶしゅ |●たてぼう

なりたち

中 ↓ 中

ぼうが わの まん中を 通って いる ようすを あらわして いるんだ

いみと ことば 1

まんなか。ちゅうおう。

まん中・中心・中おう(央)

夜中・日中・中くらい

「夜中に、一人で トイレに 行くのは、こわいよね。」

いみと ことば 2

ものの うちがわ。なか。

車中・空中・水中

中み(身)

「たまちゃんの おにぎり、中み(身)は、なあに?」

いみと ことば 3

あいだ。とちゅう。

中間・じゅぎょう中・中止

「まるちゃん、おまつりは、雨の ため 中止だって。」

いみと ことば 4

あたる こと。

中どく(毒)・めい(命)中

「フグは、中どく(毒)に なる ことも あるんだよね。」

かき じゅん

4かく

まめちしき ことばの いみ▶「中止」とは、よていして いた ことを、と中で やめる ことです。

小

おん　ショウ
くん　ちいさい　こ・お
ぶしゅ　小●しょう

なりたち
小 ⇒ 小

ぼうを けずると できる 小さい かけらを あらわした 字なんだよ

いみと ことば 1

ちいさい こと。こまかい こと。

小川・小鳥・小学生・小石
小声・小形・小や(屋)

「かって いた 小鳥が、にげちゃったよ。」

「たかしくんの かって いる 小犬、かわいいね。」

「小さな 虫だって、みんな 生きて いるんだからね。」

「めだかを とりに、小川へ 行こうよ。」

いみと ことば 2

りょうが すくない こと。わずか。

小食・小雨・小雪

「テレビの 天気よほうでは、午後から 小雨だって。」

「ぼくは、い(胃)が 弱いから 小食なんだ。」

「こんな 小雪じゃ、雪だるまは、作れないのう。ざんねんじゃ。」

かきじゅん　3かく

亅 小 小

まめちしき　「小」▶たてぼうは はねて(亅)、右の点(丶)は、はらわないで 止めます。

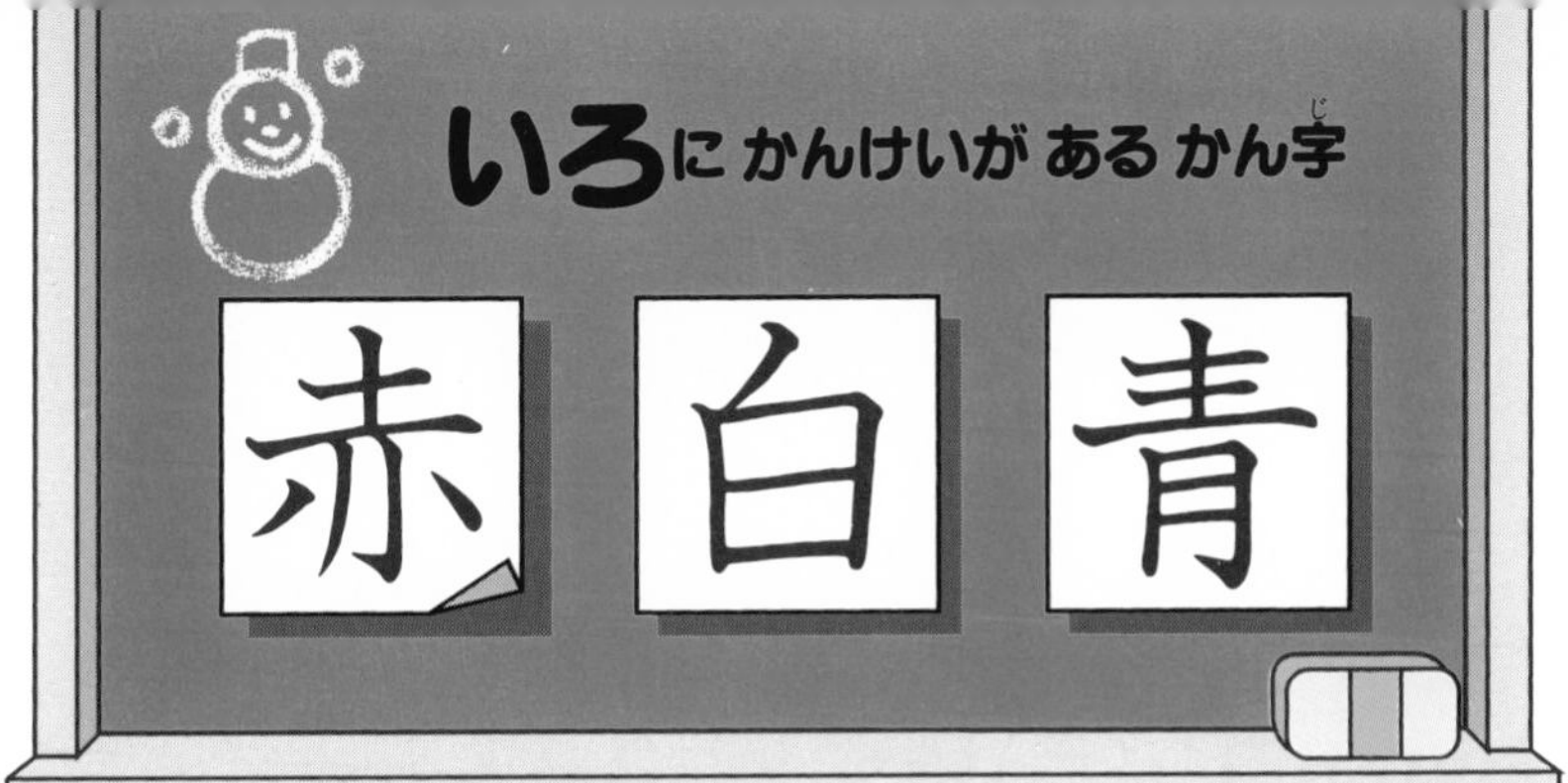
いろにかんけいがあるかん字
赤
白
青

まるちゃん 夕やけを見るのまき
気もちいい くらい いい天気だね
ほんと まぶしい くらい 空が青いや

ほら見て ごらんよ
雲だって まっ白だよ
あっ…まるちゃん！

だめよ まるちゃん
え？
グイッ

赤白青

*まっ青=「まっさお」は、とくべつな読み方です。

＊まっ赤＝「まっか」は、とくべつな 読み方です。

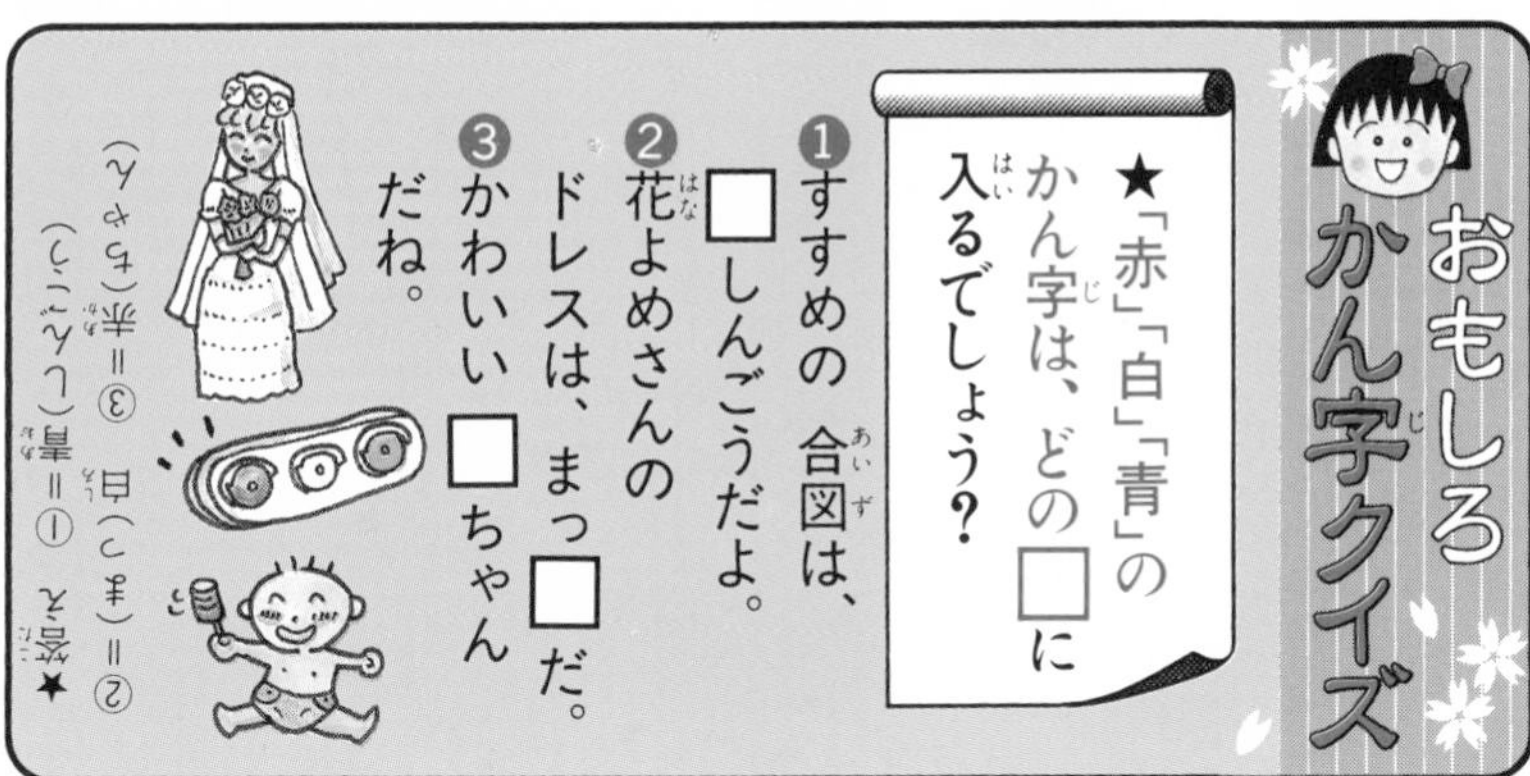

赤白青

赤

おん セキ

くん あか・あかい　あからむ　あからめる

ぶしゅ 赤●あか

なりたち

いみと ことば 1

あかい。いろの なまえの あか。

赤い 羽・赤しんごう（信号）・赤えんぴつ・お赤はん・赤組

「うんどう会で、あたしは、赤組に なったよ。」

「まっ赤（*）な りんごが 食べたいよ。」

「まる子、赤しんごう（信号）よ。ちゃんと 止まりなさい。」

「今日は、おまつりだから、お赤はん たいたのよ。」

いみと ことば 2

まったく。まるっきり。

まっ赤な うそ。赤の た（他）人。

「あんまり ほめられると、顔が 赤く なっちゃうわよ。」

「しゅくだいが おわったなんて、まっ赤な うそだよ〜ん。」

「せいかくが に（似）て いても、二人は、赤の た（他）人だよ。」

かきじゅん

7かく

赤

まめちしき 「まっ赤な うそ」▶まったくの うそ。本当じゃない ことです。

＊「まっ赤（まっか）」は、とくべつな 読み方で、「本当に 赤い」と いう いみです。

おん ハク・ビャク

くん しろ・しら
しろい

ぶしゅ 白●しろ

なりたち

↓白

中み(身)が 白い
どんぐりの み(実)を
あらわしてるんだよ

いみとことば 1

しろい。いろの なまえの しろ。

まっ白・じゅん(純)白
白くま・白線・白い(衣)

「見て。まっ白な 入道雲。
夏空だねえ。」

いみとことば 2

だれかに いう こと。

白じょう(状)・こく(告)白

「つまみぐい したの、まる子ね。
白じょう(状) しなさい!」

いみとことば 3

なにも ない こと。

空白・白紙

「アハハ。算数の テスト、
白紙で 出しちゃったよ。」

いみとことば 4

あきらか。はっきり した。

白昼・明白

「『白昼』とは、
昼間と いう いみです。」

かきじゅん

5かく

白 白 白 白 白

まめちしき 読み方に ちゅうい▶「白かば」「白木」「白ける」は、「しろ」では なく「しら」と 読みます。

青

おん　セイ

くん　あお・あおい

ぶしゅ　青●あお

なりたち

め（芽）を 出した 草と
い戸の し（清）水の 青を
あらわして いるのさ

青

いみと ことば 1

あおい。いろの なまえの あお。

青色・青空・青い 海
青ば（葉）・青い 鳥・青虫

「青ば（葉）が、目に まぶしい くらい かがやいて いるね。」

「青い 空に 白い 雲、今日も 上天気じゃな。」

「山根くん、どうしたの？ 顔が まっ青（＊）だよ。」

「きゃあ。買って きた 野さいに、青虫が ついて いたわ。」

いみと ことば 2

としが わかい こと。

青年・青春

「南の しま（島）で 見た 海は、青く すんで いたよ。」

「わたしが 青年の ころ、せんそうが あったのです。」

「ヒデじいの 青春時だい（代）の 話を 聞いたんだ。」

かきじゅん

8かく

青青青青青青

まめちしき

「青ば（葉）」▶みどり色で いきいきと した 木のは（葉）の こと。

＊「まっ青（まっさお）」は、とくべつな 読み方で、「本当に 青い」と いう いみです。

むきにかんけいがあるかん字
右
左

まるちゃん
二人三きゃくを する
のまき
あたしは 右足 たまちゃんは 左足からだよ いい？ いくよ
お まる子の 声じゃ 何を しとるん じゃろう？

一・二 一・二
左・右 左・右
おお〜〜〜 二人三きゃくか 楽しそうじゃのう
まる子 おじいちゃんも 入れて おくれ

だめだよ
おじいちゃん
あそんでるん
じゃなくて
うんどう会の
れんしゅう
だから
ハァ
ハァ
ハァ
そうか……
わるかったの〜〜
あんまり 楽しそう
じゃったから
しょぼん
右・左
右・左って
…そうか だめか
まるちゃん
ちょっと
やって
あげたら
う…
うん

じゃあ あたしは
右足から
うごかすからね
オ〜〜〜!
わかってる?

右…
あっ!

ドテッ

あたしは 右足から
なんだから
おじいちゃんは
左足からだよ
そうか
まる子は 右足
わしは 左足か
あー
いたかった
スマン
スマン

じゃあ
もう 一回
おじいちゃんは
あたしと
左右ぎゃく
だからね
おー

右左

一・二
一・二
イッ…
うぎゃ！
アチャ〜
ビタンッ

くやしいのう
こんなにも
気の 合う
わしらが うまく
いかない はず
ないんじゃが
ほんとだね

こうなったら
だれよりも
うまく なるまで
とっくんじゃ！
おう！
ゴー
ま…
まるちゃん

こうして 毎日毎日
まる子と おじいちゃんの
とっくんは つづき
二人は どんどん
うまく なった
よし
もういっしゅうじゃ
右、左
右、左
すごく
じょうず
だけど…
まるちゃん
……

しかし
ワー
ワー

たまちゃんとは
ぜんぜん
れんしゅうして
いなかったので
うんどう会では
ボロボロだった
のである
右・左
あ…
あれ？
まるちゃん
あたしたち
ビリだよ
モタ
モタ

右
左

右

おん　ウ・ユウ

くん　みぎ

ぶしゅ　口●くち

なりたち

右

口に 食べものを はこぶ 右手を あらわしたんだよ

いみとことば 1

みぎ。みぎの ほう。

左右・右手・右足・右がわ

右回り・右せつ(折)・右きき

「ブー太郎、道ろの 右がわを 歩きなよ。」

「へえ、時計の はり(針)って、右回りなんだ。」

「右手を けが したから、うまく 字が 書けないの。」

「右手に 見えるのが、ぼくの 家さ。」

「山田、『右へ ならえ』だよ。それは、『回れ 右』じゃ ないか。」

「つぎの しんごうを 右せつ(折)すれば、学校は、目の 前だよ。」

「金魚すくいでは、あたしの 右に 出る ものは、いないね。」

「右目だけを つぶるって、むずかしいね。」

かきじゅん

5かく

右右右右右

まめちしき　ことばの いみ▶「右に 出る ものが いない」とは、いちばん すぐれて いると いう いみ。

おん サ

くん ひだり

ぶしゅ エ● たくみ

なりたち

「左手で じょうぎを もって いる かたちを あらわして いるのよ」

左 ⬇ 左

いみと ことば 1

ひだり。ひだりの ほう。

左右・左手・左足・左がん(岸)・左きき・左せつ(折)・左がわ

「その 角を 左に まがると、たまちゃんの 家だよ。」

「おうだん歩道は、左右を よく 見て わたるのよ。」

「ぼくも 左ききだったら、よかったのになあ。」

「まる子は、人の い(意)見に 左右されやすいな。」

「字を 書くときは、左手で ノートを おさえなさい。」

「ヒデじい、つぎの 交さ(差)点を 左せつ(折)してよ。」

「サッカーは、左足も うまく つかえないと だめなんだ。」

「じてん車は、道ろの 左がわを 走るんだよ。」

かきじゅん

5かく

左 左 左 左 左

まめちしき ことばの いみ▶「左せつ」とは、左に まがる こと。「右せつ」は、右に まがる こと です。

かん字なるほどものがたり

おん読み・くん読みって!?

同じかん字でもいろんな読み方があるのはなぜ?

音(おん)

かん字は、とても古い時だい(代)の中国でできた文字です。その中国の人たちのはつ(発)音に近い読み方をするのが「おん」です。

訓(くん)

かん字は、今から千何百年も前に中国からつたわりました。日本にもとからあったことばにかん字を当てはめて読んだのが「くん」です。

正	
おん	セイ　ショウ
くん	まさ　ただす　ただしい

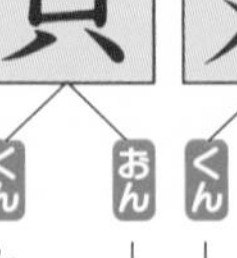

かん字	おん	くん
花	カ	はな
虫	チュウ	むし
気	キ・ケ	—
貝	—	かい

★たいていのかん字には「おん」と「くん」の読み方があります。でも、中には「おん」だけや「くん」だけのかん字もあります。

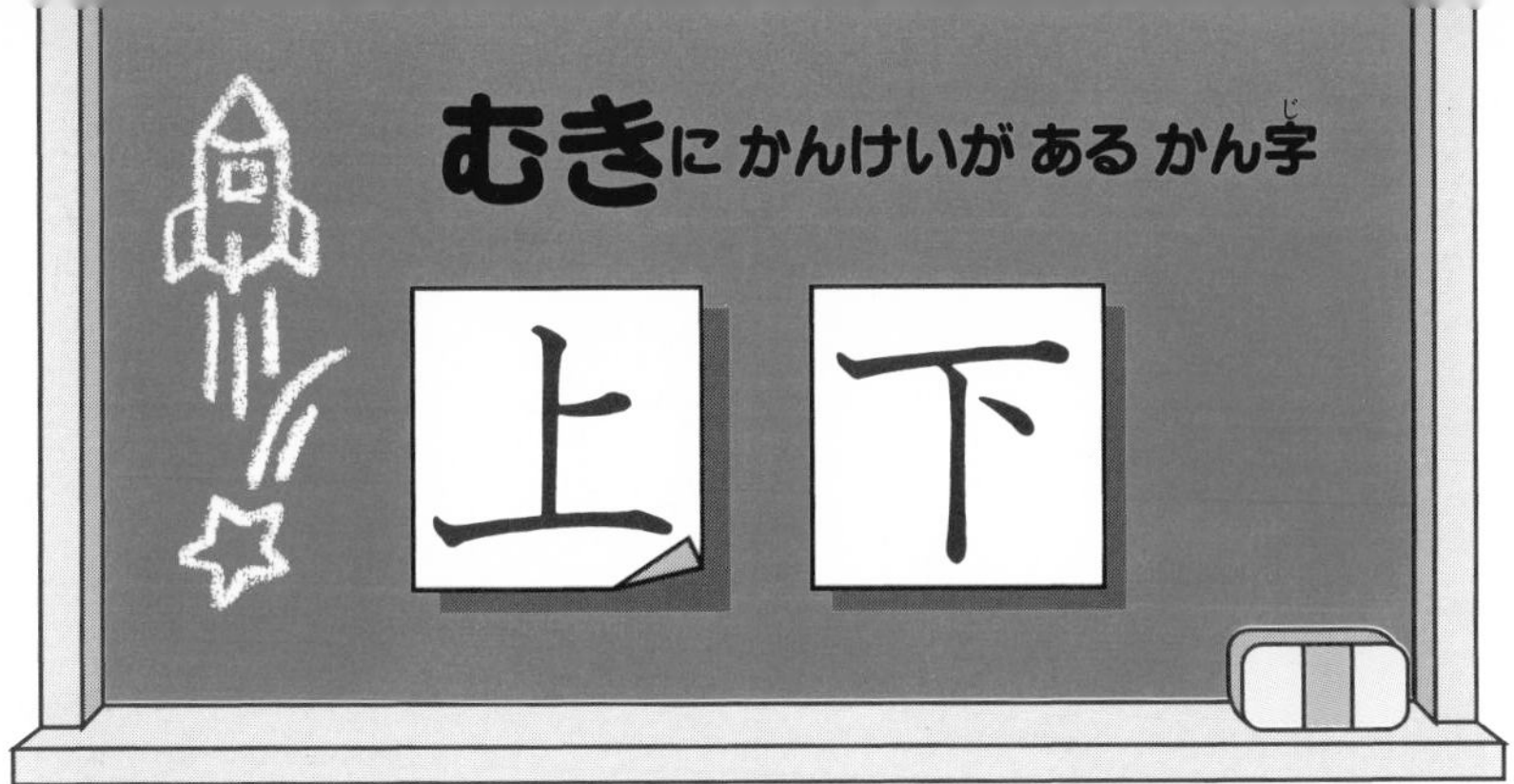

上
下

ズバリ ろう下を 走っては いけないでしょう
学きゅう いいんと して ちゅうい します!

ごめん 山田くんが ぼくの 上ばきを かえして くれないんだ
ろうかは はしらない
アハハ
アハハ
ハァ
ハァ
上ばき?

きのう あらおうと 思って 家に もって 帰ったら 今日 もって 来るの わすれたんだよ
今日 一日 かしてくれよ 下校時間には かえすからさあ
アハハ
アハハ
それは ムチャと 言うべき でしょう
うん うん
そうだよ かえしてくれよ

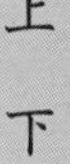
上
下

きみを おいかけて かいだんを 上がったり 下がったり
いちょうの 弱い ぼくには つらいんだよ
ハァ ハァ

いいじゃないかよー その かわり おれの 上ぎ かすからさ
アハハ
アハハ
上ばきと 上ぎで あいこだろ?
それは 山田 本当に むちゃくちゃ である

あんたね 三年生と 言えば 一・二年生から 見たら 上級生だよ
わすれもの なんて はずかしく ないの?
あたしゃ なさけないネ
おおっ 強気 である!!

なんだよー さくらだって きのう 下じき わすれたじゃ ないかよ
アハハ アハハ
あ……

あれは たまたまだよ 今日は ぜったい ないもん!
夕べ かくにん したもん

そう 言えば さくらさん きのうは ふえも わすれましたね
それに…
あ… あれは…
おとといは ハンカチを!
グサッ
グサッ
その前は 教科書を
三日前には きゅう食ぶくろ を……
うっ

アハ アハハ 上には上が いるなあ
かえすよ 上ばきくらい わすれたって ぜんぜん はずかしくないや
さくらに くらべたら
先生に 言って スリッパ かりよう
あ
ポイッ

ありがとう きみの おかげで たすかったよ
きみが わすれもの ばかりしてる おかげだ
いくら かんしゃ されても うれしくない まる子で あった

上

おん ジョウ

くん うえ・うわ・かみ
あげる・あがる・のぼる
のぼせる㊥・のぼす㊥

※㊥は、中学で
ならう読み。

ぶしゅ 一●いち

なりたち

ニ
⬇
上

地めん(面)の 上に
何か あると いう
いみなんじゃよ

いみとことば 1

うえ。

つくえの 上・頭上・地上
上ぎ(着)・上下・おく(屋)上

「デパートの おく(屋)上は、
見晴らしが いいねえ。」

いみとことば 2

うえに あがる こと。のぼる こと。

上りざか(坂)・上りく(陸)
上り電車

「もし 明日、台風が 上りく(陸)
した 場合は、休校に なります。」

いみとことば 3

さいしょの ほう。はじめの ほう。

上りゅう(流)・川上・風上

「上りゅう(流)の 方は、もっと
水が すんで いるでしょう。」

いみとことば 4

よい こと。すぐれて いること。

上ひん(品)・上天気・上とう(等)

「花輪くんの お母さんは、
とっても 上ひん(品)だね。」

かきじゅん

3かく

上 上 上

まめちしき
「上手」▶「うわて」「かみて」と 読む ほかに
とくべつな 読み方「じょうず」も あります。

下

おん カ・ゲ

くん した・しも・もと㊥
さげる・さがる・くだる
くだす・くださる
おろす・おりる

※㊥は、中学でならう読み。

ぶしゅ 一●いち

なりたち

地めん（面）の 下に
ものが ある ようすを
あらわした 字だよ

⌒・ ➡ 下

いみとことば 1

した。ひくい ほう。

ま（真）下・下じき・地下
年下・下の かい（階）

「しまった。また 下じき
わすれちゃったよ。」

いみとことば 2

おわりの ほう。

下りゅう（流）・川下・風下

「この 川の 下りゅう（流）まで、
ふねで 下りたいのう。」

いみとことば 3

おりる こと。かえる こと。

下山・下校・下車

「下校時間です。
早く 帰りましょう。」

いみとことば 4

おとる こと。よごれて いる こと。

下ひん（品）・下水

「下水と いうのは、つかって
よごれた 水の ことですね。」

かきじゅん

3かく

一 丅 下

まめちしき
「下手」▶「したて」「しもて」と 読む ほかに
とくべつな 読み方で 「へた」とも 読みます。

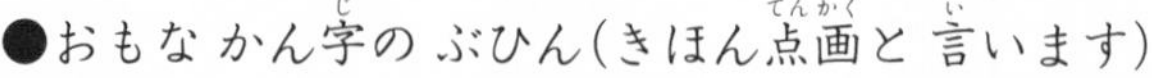

これがかん字の「ぶひん」だ!!

かん字を分かいしてみたよ

●おもなかん字のぶひん(きほん点画と言います)

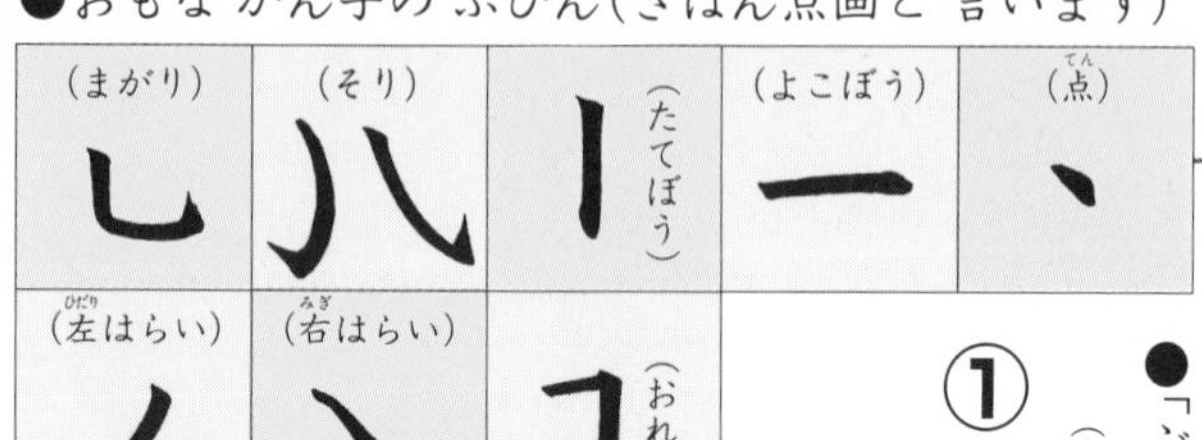

●「ぶひんたし算」答えは なあに?

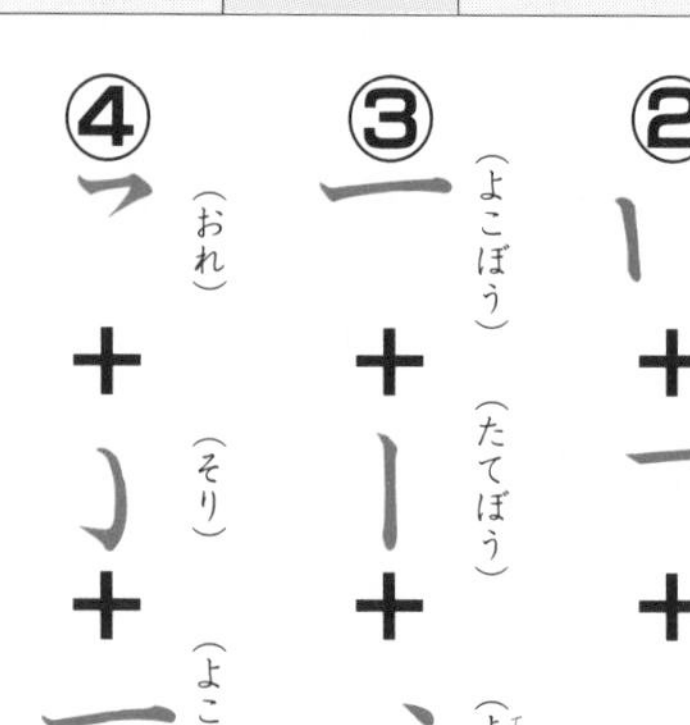

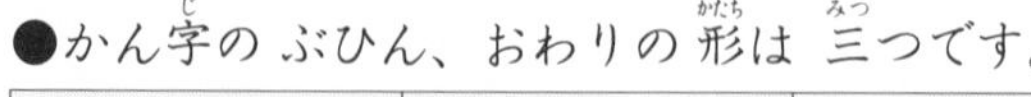

●かん字のぶひん、おわりの形は三つです。

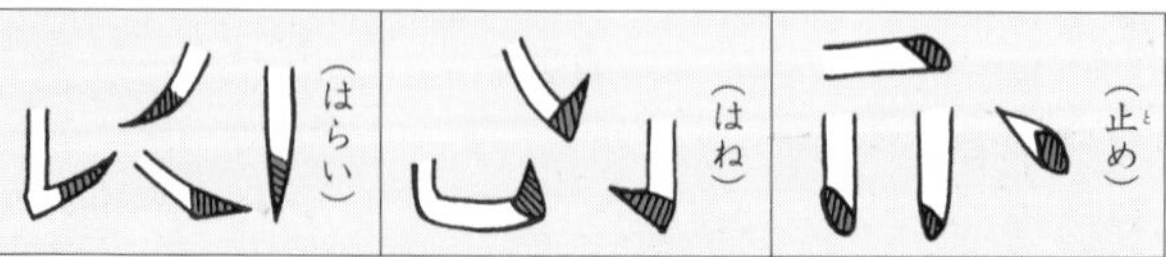

答え＝①未②口③下④子

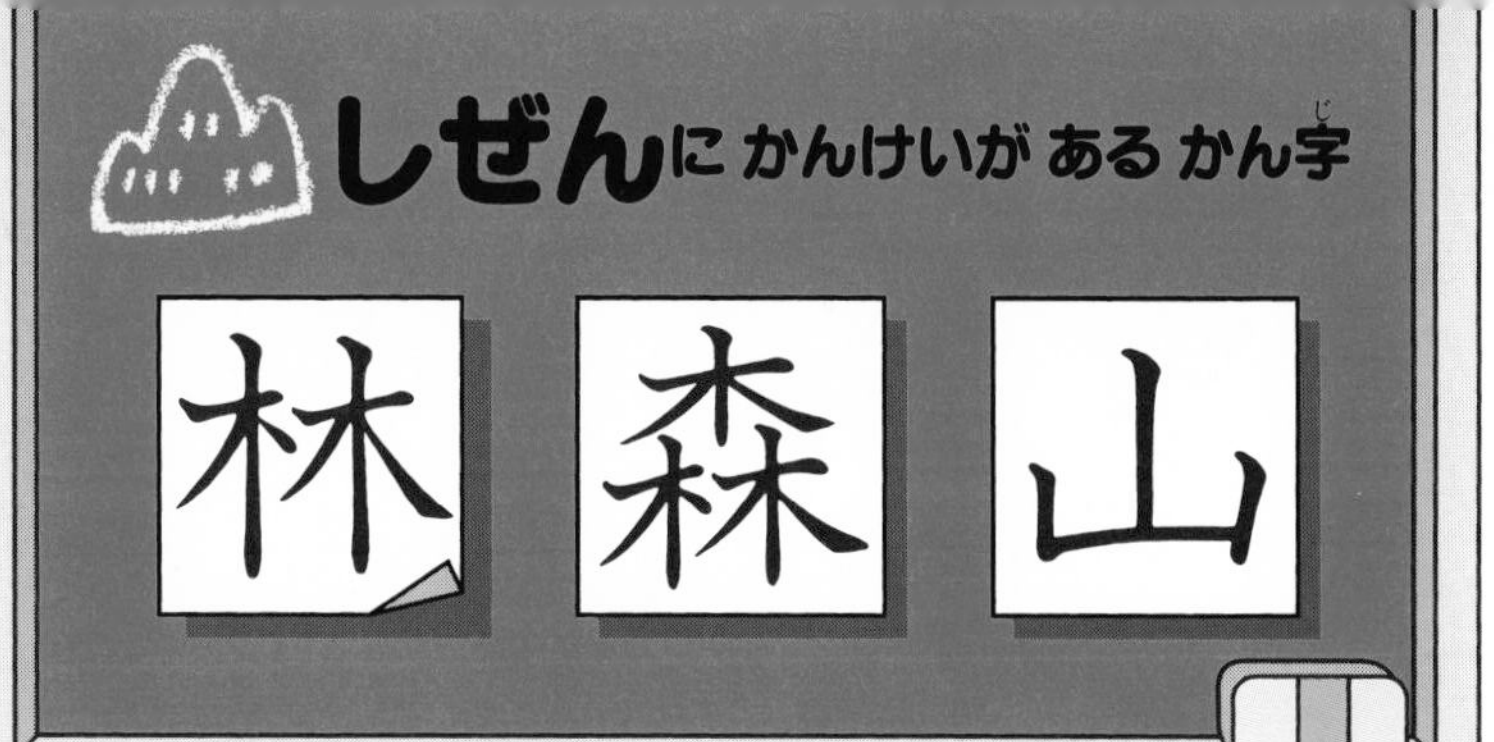

林森山

＊森林よく＝森の空気を たくさん あびること。けんこうのために いいのです。

うー
もう だめ
森林よくって
つかれるん
だね
ほんと
だね
ゼェ
ゼェ
ハァ
ハァ

前に ホタルの森を
さがしに
行ったときより
大へんだね
うん
ハァ
ハァ
ゼェ
ゼェ
ハァ
ハァ

あの ときも
森や 林を
いくつも ぬけて
山おくで
「ホタルの森」
見つけたん
だよね

帰りが
おそくなって
すごく
しかられたね
つかれが
ばいに なる
ようなことまで
思い出させる
まる子で ある
ハァハァ
ゼェ
ゼェ
う…うん

さあ
元気を
出して
この
ぞう木林を
ぬけると
ちょう上ですよ
ポン
ポン
ハイ!
エッ?

みんな
がんばり
ましょう
ハーイ

やった
ちょう上だ！

ばんざーい
ばんざーい
ばんざー——い

ついに ちょう上！
かんどうの「わ」が
みんなの 中で
広がって いった
やったね
たまちゃん
うん
ズバリ
かんどう
でしょう

ただし 山田が
その「わ」の 中に
いなかったのは
言うまでも ない
山だ
山だ
おれは
山田！
また
いってる

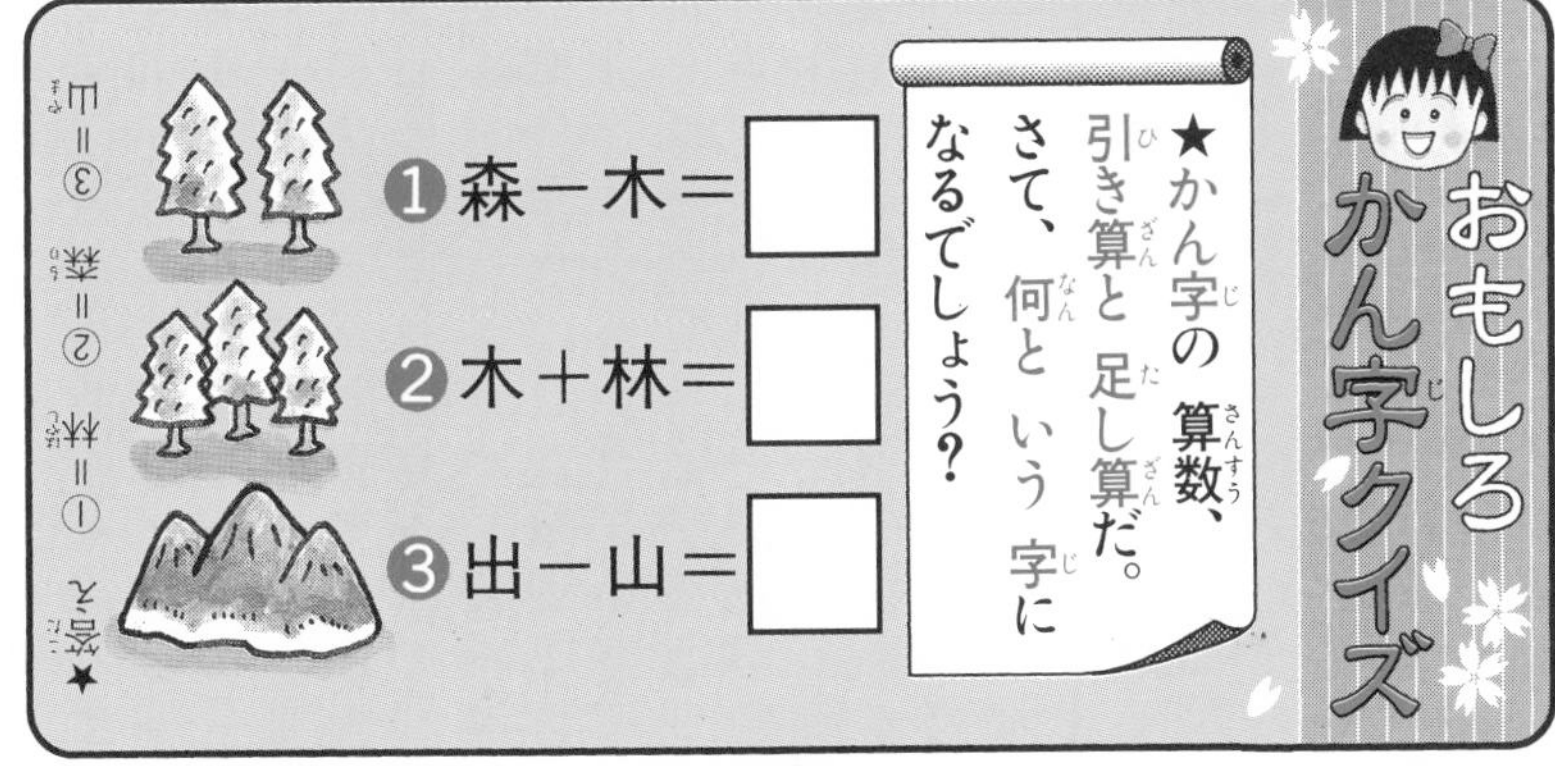
おもしろかん字クイズ
★かん字の 算数、
引き算と 足し算だ。
さて、何と いう 字に
なるでしょう？
①森－木＝
②木＋林＝
③出－山＝
★答え ①＝林 ②＝森 ③＝山

おん　リン

くん　はやし

ぶしゅ　木●きへん

なりたち

𣏟 ➡ 林

いみと ことば 1

きが たくさん はえて いる はやし。

まつ(松)林・ぞう木林・山林

森林・林道・林ぎょう(業)

「海がん(岸)の まつ(松)林が、すごく きれいだったよ。」

「むかしに くらべると、ぞう木林も へったのう。」

「まるちゃん、この先に しらかば林が あるよ。」

「山の ちょう(頂)上から、大森林を 見たよ、ベイビー。」

「ぼくの おじさんの すむ 町は、林ぎょう(業)が さかんなんだ。」

「林立とは、林の ように ものが たくさん 立って いる ことです。」

「夏休みの 林間学校が、今から まち遠しいブー。」

「しょく(植)林を して、山の みどりを まもりましょう。」

かきじゅん

8かく

林 林 林 林 林 林 林 林

まめちしき

「ぞう木林」▶いろんな 木が 生えて いる 林の こと。

森

おん シン

くん もり

ぶしゅ 木●き

なりたち

森 ➡ 森

三本の 木で たくさん 木が しげる「森」を あらわしてるんだよ

いみと ことば 1

きが たくさん しげって いる もり。

森林・森林よく（浴）

森らばんしょう

「『ヘンゼルと グレーテル』に 出て きそうな 森だね。」

「じん（神）社に ある ちんじゅの 森で、かくれんぼを しよう。」

「まる子、森の おくの 方まで、行っちゃ だめよ。」

「アハアハ。また いつか、『ホタルの 森』に 行こうぜ。」

「あした、森林公園に あそびに 行くんだぜ。」

「森の 中の 道を 歩くのは、気もちが いいね。」

「こういう 森林の 空気は、さわやか じゃのう。」

「これが 森林よく（浴）なんだね。元気が あふれて くるよ。」

かきじゅん

12かく

森森森森森森森森森森森森

まめちしき

「木」が あつまると？ ▶二つで「林」、三つで「森」と おぼえよう。

山

おん　サン
くん　やま
ぶしゅ　山●やま

なりたち
山（象形）➡山

山の形をあらわしている字なんだよ

いみとことば 1

やま。

山のぼり・小山・山おく
山地・山里・火山

「あの山のおくに、『ホタルの森』があるんだ。」

「日本で一番高い山は、富士山でしょう。」

「うちの学校の遠足は、山のぼりさ、ベイビー。」

「うぐいすの鳴き声が、山里にこだましているよ。」

いみとことば 2

たかくつんだもの。たくさん。

山づみ・山もり・一山

「ぼくのごはんは、山もりにしてよブー。」

いみとことば 3

だいじなところ。だいじなとき。

山場

「このえい画は、ここからが山場なのよ。」

かきじゅん

3かく

山 山 山

まめちしき　「山びこ」▶山にむかって出した声や音がはねかえってくること。「こだま」とも言う。

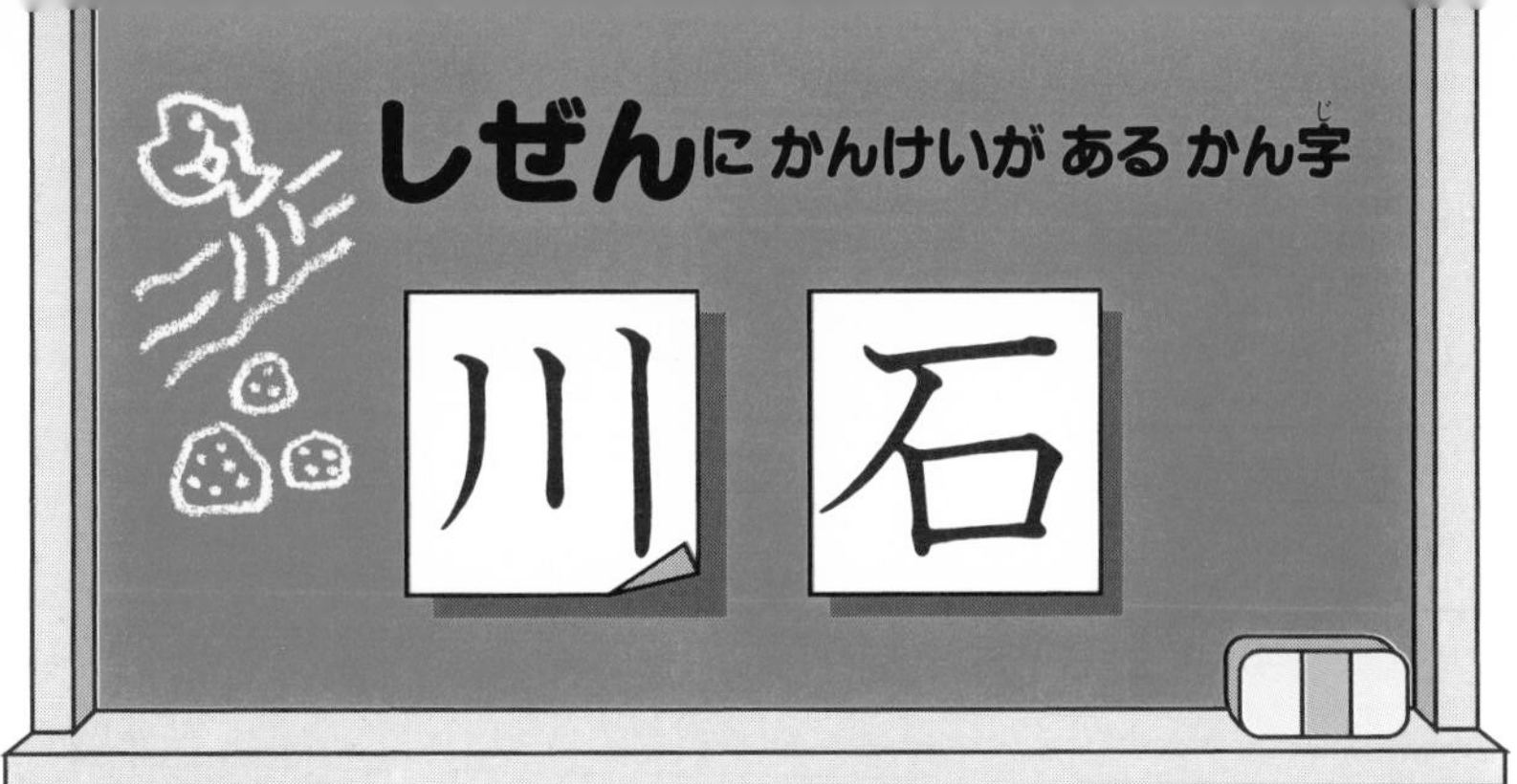
しぜんにかんけいがあるかん字
川
石

まるちゃん
小石を ひろうのまき
今日の じゅぎょうは 自ぜんかんさつ
まるちゃん あんまり 川の近くは あぶないよ!
大じょうぶだよ こんな 小川 たまちゃんも 来てごらんよ

川原って 石が いっぱいだね
川上から ながれて 来たのかな?
あ! たまちゃん この 小石 見て!
え?
チャプッ

ほら
まん丸な
石だよ
ほんとだ！

オーイ
もって行こうっと！
あっ
先生が
よんでるよ

川の近くの石は
丸いものが
多いですね
それは
川を ながれて
来たからです

上りゅうから ずっと
ながされている間に
ほかの石とぶつかって
丸く なるんですね
へェ～
じゃあ
教室に
もどりましょう

ずっと
ながされて
いると 丸く
なるのか…
じゃあ
この石も 川の
ずっとずっと
上りゅうから
来たのかなあ

山の方から
海を目ざして
たびして来たのかも
知れないね
きっと
そうだよ！

たまちゃん
ちょっと
まってて！
トコ
トコ

あっ
その石
すてちゃう
の？
チャプン

うん 海までの
たびを つづけさせて
あげるんだ
そっか…

その夜
まる子は
ゆめを 見た

それは 昼間ひろった
丸い 石の ゆめで
石は あれから
小さな 川
大きな 川を
いくつも
いくつも
ながされて
行き――

そして とうとう
海に ついたのだった
石は まる子が
ひろった ときよりも
ずっと 小さく
なって いたけれど

何だか
とっても
うれしそう
だった――

川
石

川

おん　セン㊥

くん　かわ

ぶしゅ　川●かわ

※㊥は、中学で ならう読み。

なりたち

三本の 線で 水が ながれて いる ようすを あらわして いるのよ

いみと ことば 1

かわ。みずの ながれて いる ところ。

小川・川上・川下・谷川
川風・川ぎし（岸）・川原

「この 川には、魚は、すんで いるのかな？」

「きのう お父さんと、川に 魚つりに 行ったよ」

「まる子、川あそびに 行くんなら 十分 ちゅういするんじゃよ。」

「この 小川で、どじょうを とった ことが あるんだぜ。」

「まるちゃん、もっと 川上の 方に 行って みようよ。」

「谷川の 水は、さすがに つめたいな。」

「ふう。川風が、とっても 気もち いいね。」

「川原に ある 石は、いろんな 形を してて おもしろいね。」

かき じゅん

3かく

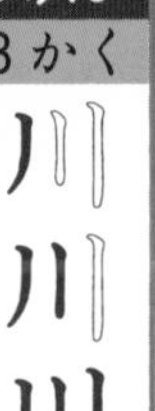

まめちしき

「川上」▶川が ながれて くる 方。「川下」は、川が ながれて いく 方の ことだ。

石

おん セキ・シャク
コク㊥

くん いし

ぶしゅ 石●いし

※㊥は、中学でならう読み。

なりたち

石

いみと ことば 1

いし。いわの かけら。

石ころ・小石・石けり・岩石
石けん・か(化)石・じ(磁)石

「川原は、石ころが ごろごろしてて、歩きにくいね。」

「じん(神)社の 石だんの ところで、まち合わせ しよう。」

「山田、石がきを のぼったり すると あぶないよ。」

「お母さんも、何か ほう石を もって いるの？」

「はくぶつかんで、きょうりゅうの か(化)石を 見たでしょう。」

「まる子、ちゃんと 石けんで、手を あらいなさい。」

「藤木くん、きみの じ(磁)石を かして くれないか。」

「さくらさん、わたしと 石けり して あそばない？」

かきじゅん

5かく

石 石 石 石 石

まめちしき

「石頭」▶「石の ように かたい 頭」の ほかに「がんこな 人」と いう いみも あります。

かん字(じ)なるほどものがたり

書(か)きじゅんのきまり【その1】

●上(うえ)から下(した)へ書(か)く。

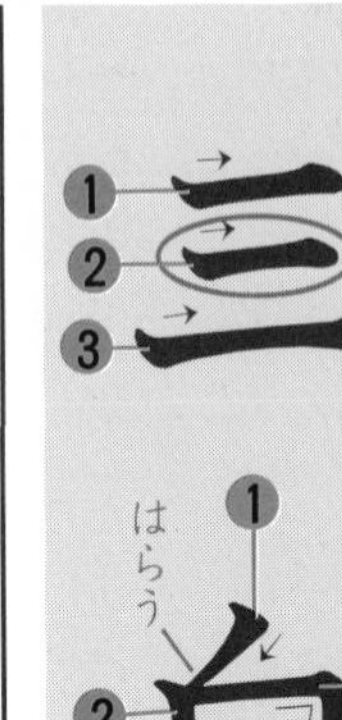

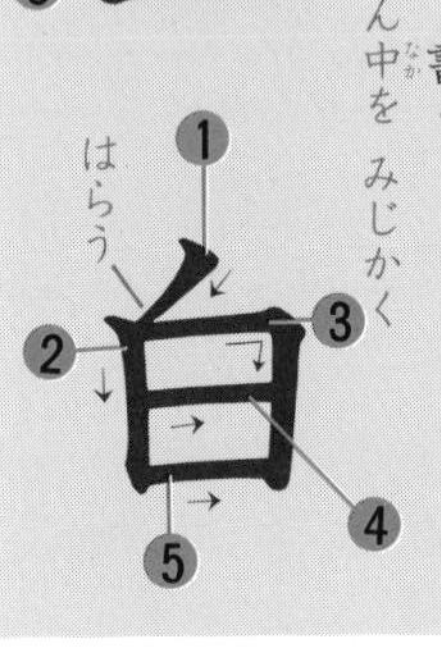

●左(ひだり)から右(みぎ)へ書(か)く。

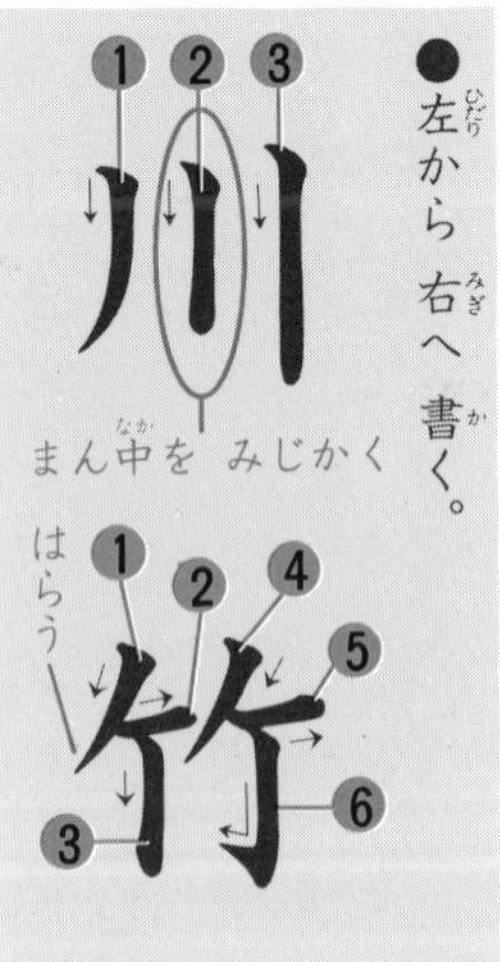

気 男 足

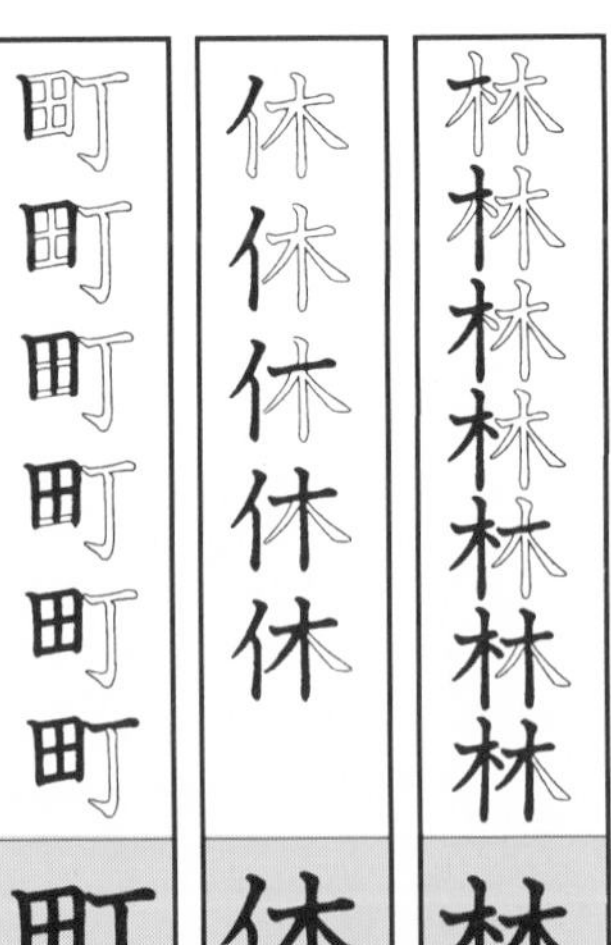

林 休 町

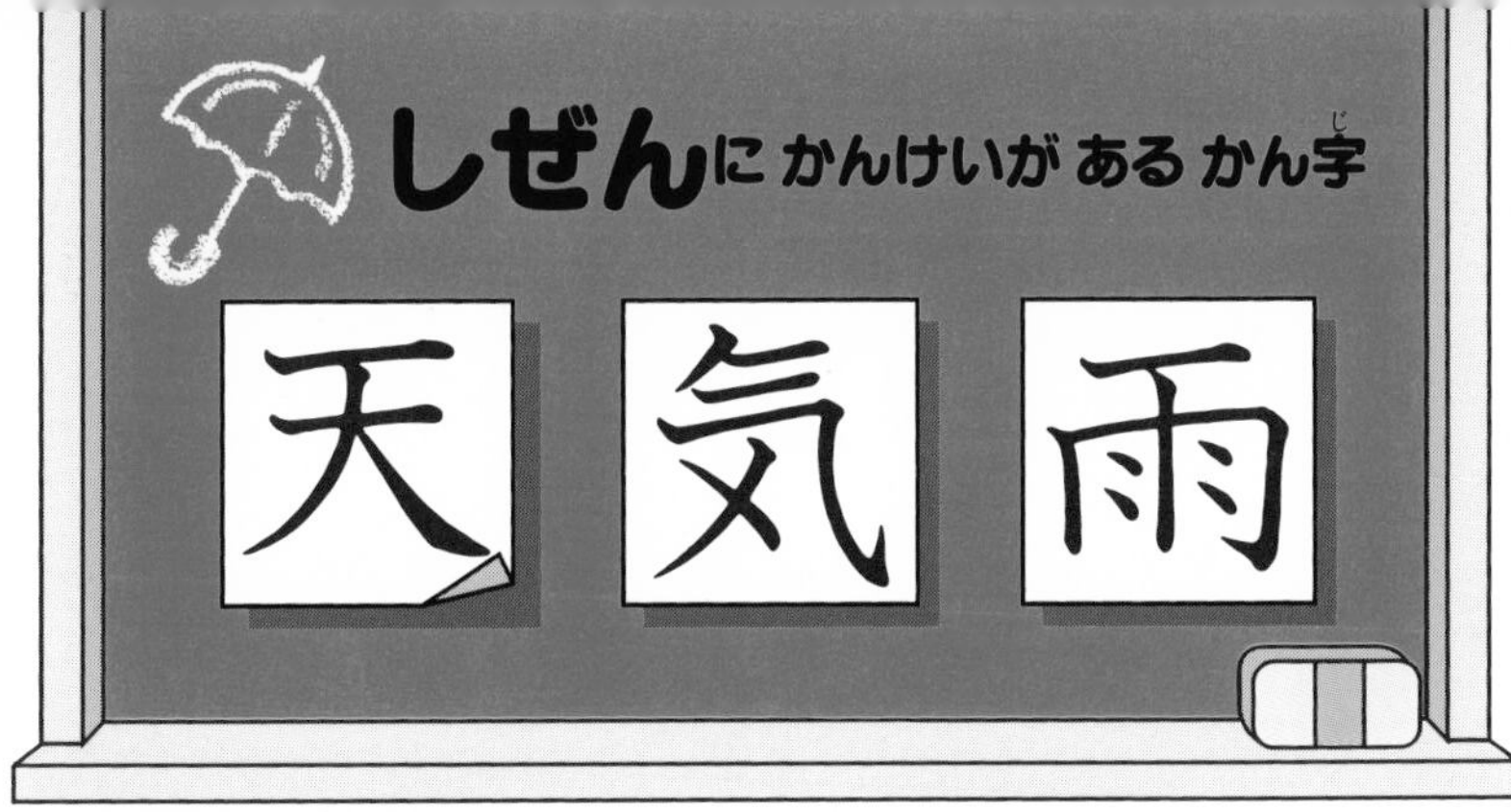

＊雨雲＝「あまぐも」は とくべつな 読み方です。

なんだか あたし さん歩したい 気分だよ

わかるぞ その気もち 三日ぶりの晴れ じゃからな
わしも 同じじゃ！

よ〜〜〜し さん歩に 行こう！
おう！

あら まる子 どこ 行くの？

ちょっと おじいちゃんと さん歩！
かさ もって 行きなさいね また 雨ふるかも 知れないから
スタ スタ

三日ぶりに かさが いらない から 気分 いいんだよね？
その通り じゃ
ヒソ
ヒソ

こんなに
晴れてるんだ
もん
雨など
ふらん！
こうして
かさを もたずに
さん歩に 出た
二人で あったが…
うわぁ
いい天気
土手まで 来て
よかったね
こういう
いい天気を
上天気と 言うんじゃ

あれ？
ポツ
ポツ
おじいちゃん
晴れてるのに
雨が
ふってきたよ
やっぱり
また…
こういうのは
天気雨と 言うんじゃ
大じょうぶ
すぐ やむよ
なんだ
そうか
しかし
――

五分後
ザー
ヒイ〜〜ッ
おじいちゃん
こういう 雨は？
ごう雨とか
大雨とか
言うんじゃ〜!!
どうして
かさを もって
行かなかったの？
いくら
しかられても
雨に ぬれない
家の 中は
天国だと 思う
二人で あった
ハアア…

天

おん　テン
くん　あま
ぶしゅ　大●だい

なりたち

天
⬇
天

人を　あらわす「大」の上に「一」を　書いて空を　あらわしたんだ

いみと ことば 1

そら。

天気・晴天・雨天・天下
こう(好)天・天こう(候)

「きのうの　天気よほうは、大外れだったね。」

いみと ことば 2

しぜんの　ちから。

天さい(災)・天ねん(然)

「天さい(災)は、わすれた　ころに　やって　くるって　言うからな。」

いみと ことば 3

かみさま。

天し(使)・天めい(命)・天国

「赤ちゃんって、天し(使)　みたいに　かわいいね。」

いみと ことば 4

うまれつき。

天才・天せい(性)

「すごいね。お父さんは、つりの　天才だよ。」

かき じゅん

4かく

天　天　天　天

まめちしき

「天の川」は、川の　ように　見える　星の　あつまり。「あま」は、とくべつな　読み方。

気

おん キ・ケ

くん ―

ぶしゅ 气●きがまえ

なりたち

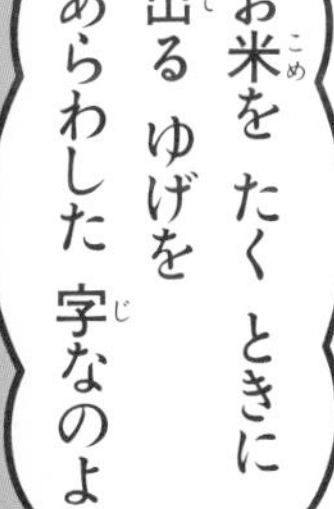
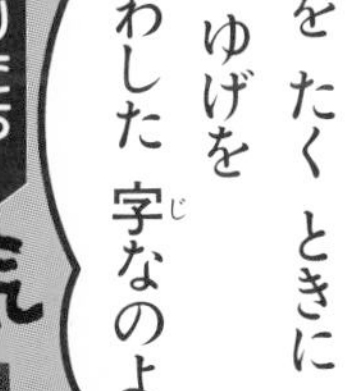

いみとことば 1

くうき。

空気・大気・気体
じょう(蒸)気・気おん(温)

「冬の 朝は、さむいから、
空気が ひんやりして いるね。」

いみとことば 2

しぜんの げんしょう。

気こう(候)・天気

「今年は、何やら、
気こう(候)が へんだねえ。」

いみとことば 3

こころの うごき。きもち。

気もち・元気・ゆう(勇)気

「みなさんも かぜには、
十分 気を つけましょう。」

「まるちゃんは、
いつも 元気だね。」

「おはよう。早おき すると、
気分が いいね。」

かきじゅん

6かく

まめちしき とくべつな 読み▶「水気」や「しめり気」の
ように、「気」は、「け」と 読む ことも ある。

雨

おん ウ

くん あめ・あま

ぶしゅ 雨●あめ

なりたち

雲の 中から 雨が おちる ようすを あらわした 字だよ

⬇ 雨

いみと ことば 1

あめ。

雨ふり・大雨・にわか雨

雨天・雨りょう・風雨

「雨ふりの 日は、おうちの 中で あそびなさい。」

「天気よほうで、午後から 雨って 言ってたよ。」

「まさか、大雨には、ならないわよね。」

「雨上がりの 空が、とっても きれいね。」

「こんなの にわか雨だよ。ほら、空は、晴れて いるよ。」

「まる子、魚つりは、雨天でも 行くぞ。」

「今夜から、ぼう(暴)風雨に なるそうよ。」

「まっ黒な 雨雲だね。もうすぐ ふって くるわよ。」

かきじゅん 8かく

雨 雨 雨 雨 雨 雨 雨 雨

まめちしき とくべつな 読み▶「春雨」は、「はるさめ」。「梅雨」は、「つゆ」だ。

しぜんにかんけいがあるかん字
夕
空

夕
空

まるちゃんスイカを食べるのまき
夏休みの ある 夕方である
あつ〜〜〜 うちはクーラー ないから 地ごくだね
パタ パタ
ブーン
夕方に なって ちょっとは すずしく なったが たまらんな…

夕立でも あれば もっと すずしく なるんだけど…
空は 晴れわたって いるし
ふりそうも ないね
そうじゃ のう

何(なに) 二人(ふたり)で
空(そら)なんか
見(み)てるんだ
スイカ
買(か)って
来(き)たぞ

スイカよりも
クーラーが
ほしいよ
そうじゃよ
お？

そうか
じゃあ
食(た)べないん
だな？
食(た)べるとも！
おう／

夕立(ゆうだち)なんか
どうでも
いいや
おい
おとすなよ
パタパタ
お母(かあ)さん
スイカ
切(き)って！

夏(なつ)は
やっぱり
スイカ
だねえ

まあ
きれいな
夕(ゆう)やけ…

夕空

わあ ほんとだね
クーラーなんか なくたって

こんなふうに みんなで スイカを 食べながら きれいな 夕やけ空を ながめて いると…

気もちよい 風が ふいて くるような 気が する
まる子で あった

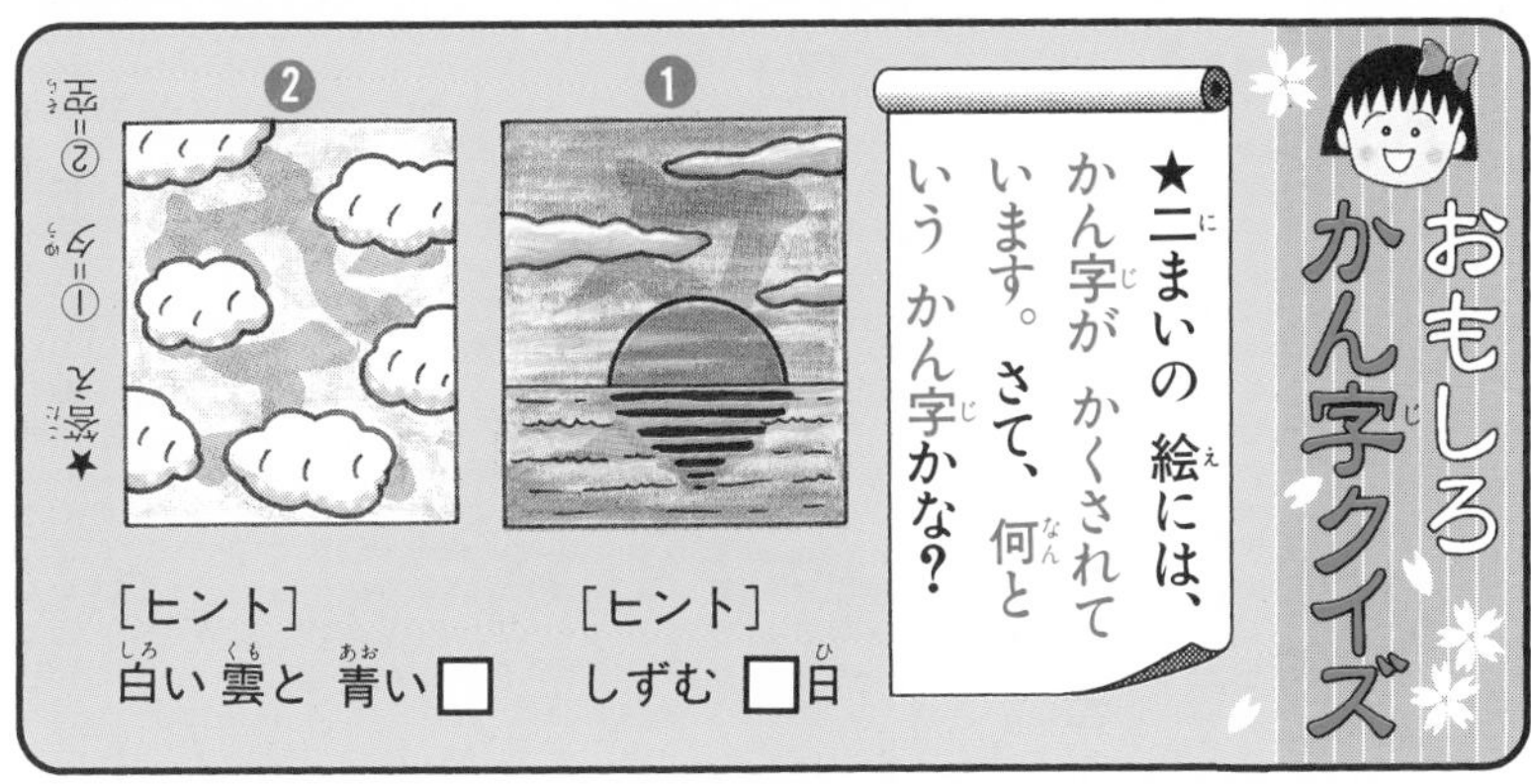
おもしろ かん字クイズ
★二まいの 絵には、かん字が かくされて います。さて、何と いう かん字かな？
❶
[ヒント]
しずむ □日
❷
[ヒント]
白い 雲と 青い□
★答え ①＝夕 ②＝空

おん　セキ㊥

くん　ゆう

ぶしゅ　夕●ゆう

※㊥は、中学で ならう読み。

なりたち

いみとことば 1

ゆうがた。ゆうぐれどき。

夕日・夕方・夕ぐれ・夕立 夕ごはん・夕やけ・夕すずみ

「夕日が 海に しずむのを 見るのは、かんどうでしょう。」

「冬の 午後は、あっと いう 間に 夕方に なっちゃうね。」

「わあ、きれい。夕やけで、西の 空が まっ赤だよ。」

「夕立でも あれば、少しは すずしく なるんじゃがのう。」

「今日の 夕食は、カレーライスが いいブー。」

「お、まる子。じいさんと 夕すずみ してるのか?」

「まる子、夕ごはんの 前に おふろに 入りなさい。」

「夕やみが せまって いるから、早く 帰った 方が いいですよ。」

かきじゅん

3かく

まめちしき

ことばの いみ▶「夕立」とは、夏の 夕方に きゅうに ふって くる 雨の ことです。

空

おん クウ

くん そら・あく・あける・から

ぶしゅ 穴●あなかんむり

もともと「からっぽ」を あらわす 字が「空」の いみに なったんだよ

なりたち

↓空

いみとことば 1

そら。てん。

青空・大空・夜空・星空
冬空・くもり空・空中

「今日は、雲 一つ ない 青空だ。ズバリ、かい(快)晴でしょう。」

「鳥みたいに 空を とべたら、気もちが いいだろうねえ。」

「こんな きれいな 星空は、ひさしぶりじゃ。」

「サーカスの 一番人気は、空中ブランコだと 思うよ。」

いみとことば 2

なにも ない こと。からっぽ。

空き地・空きかん・空っぽ。

「となりの 空き地で、おにごっこ しようよ。」

「空きカンは、すてないで リサイクルボックスに 入れましょう。」

「あたしゃ さい近 ふけい気で、さいふの 中は、空っぽだよ。」

かきじゅん

8かく

まめちしき

「空」は、あなかんむり(穴)だ。うかんむり(宀)じゃ ないよ。

かん字なるほどものがたり

書きじゅんの きまり【その2】

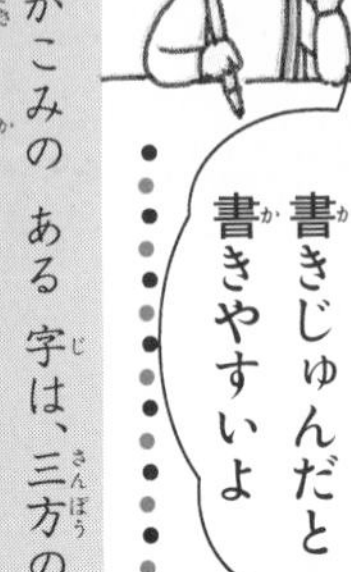

●かこみの ある 字は、三方の かこみを 先に 書き、さいごに とじる。

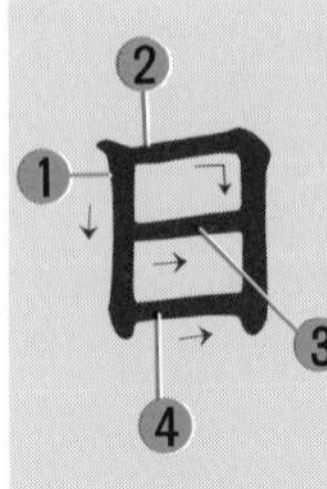

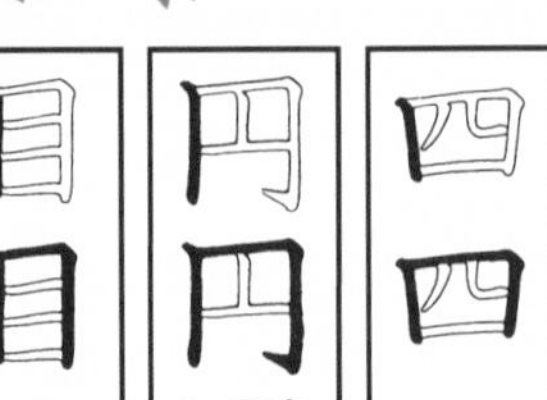

●左はらいと 右はらいが ある 字は、左はらいを 先に 書く。

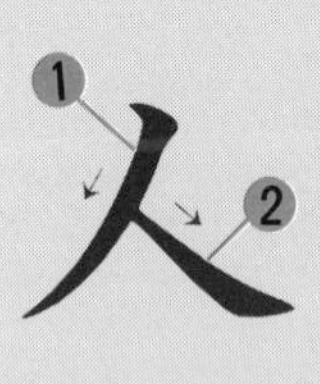

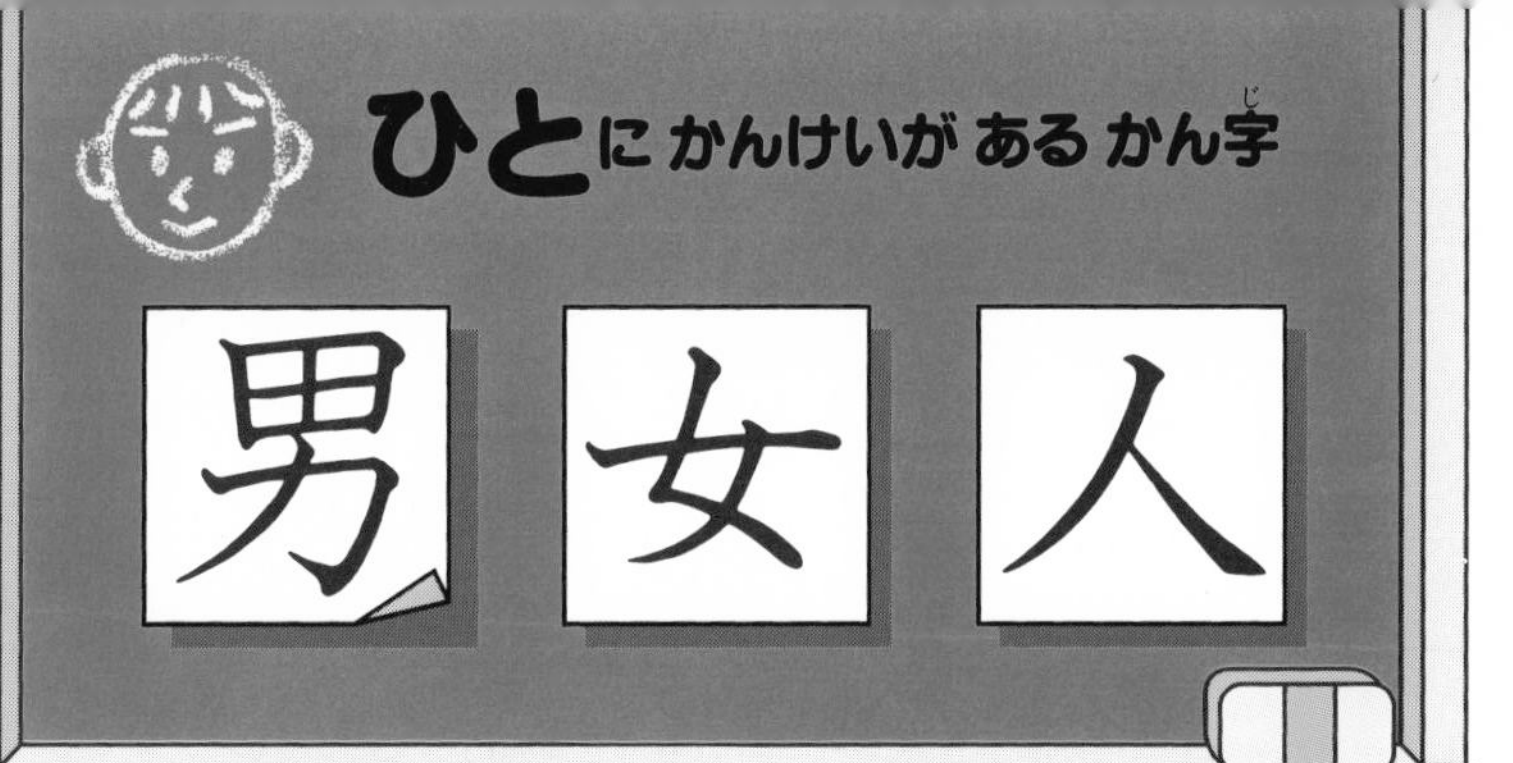

ひとにかんけいがあるかん字
男
女
人

まるちゃん
そうじ当番になるのまき
ごめん！そうじ当番だったのわすれてたよ
あれ？男子は？
ひどいの！サッカーするから女子だけでやっといてって！

もう いいよ男の子たちいなくても
あたしたちでおわらせちゃおう
だめだよ！そうじ さぼるなんて 人間としてゆるせないね
あたしよんでくる!!
もえるせいぎかん

ダッ
あ まるちゃん
言っても どうせ 男子たち 来ないわよ!
ハハハ
こらーっ そこの 三人!!

あんたたち 男子も そうじ当番でしょ 何 さぼってんのよ
な…なんだ ブー?
おれたち 三人が いなくても そうじは できるだろ?
うん うん
何 言ってんのよ!

そうやって 女の子に ばっかり やらせて! 男って ずるいよ!!
ちょっと まってください 男は ずるいですって?
ぼくは ずるく ないでしょう
あんたの 話は してないの!!

バシッ
だいたい こんなもの けって 何が楽しいのよ

ピューン
オオッ

テン
テン
うまいな さくら…
あんな ところまで…

え？ そ… そうかな
へへへ
女子サッカーの せん手に なれるかもな
スゲーよ
おだてられた まる子は それから 男子たちと サッカーをやり
お
いった ブー
さくら いったぞー
パス パス！

その日は そのまま 帰ったのである
そして
バイバイ
また サッカー しょーぜ
バイバーイ

つぎの日
さくらさん あなたも そうじ さぼった わね
わ… わすれてた
いいのよ まる子ちゃん

男

おん　ダン・ナン

くん　おとこ

ぶしゅ　田●た

なりたち

男

田んぼ(田)と ちから(力)を 合わせた 字だよ

いみと ことば 1

おとこ。だんせい。

男の子・男女・男じ(児)

男せい(性)・び(美)男子

「きのう、公園に いた 男の子、永沢くんの 弟だよね。」

「うちの 学校って、男女 合わせて 何人だっけ?」

「ヒマラヤの 雪男って、本当に いるのかな?」

「花輪くんほどの び(美)男子は、めったに いないわよ。」

いみと ことば 2

むすこの こと。

長男・じ(次)男・三男

「ぼくも、もっと 男前に 生まれたかったブー。」

「山のぼりの ベテランを、『山男』って 言うのさ。」

「花輪くんは、長男だけど、一人っ子なんだね。」

かきじゅん

7かく

男男男男男男男

まめちしき　「男前」▶顔や すがたの いい 男の 人の ことです。

おん ジョ・ニョ㊥

くん おんな め㊥

ぶしゅ 女●おんな

※㊥は、中学で ならう 読み。

なりたち

女

すわって いる 女の 人の すがたを あらわして いるのよ

いみとことば 1

おんな。じょせい。

女の子・男女・女子・少女

女せい(性)・女王・女ゆう(優)

「さっき、すごく きれいな 女の 人を 見たよ。」

「女子だけで そうじする なんて、ふこうへいだと 思わない?」

「『マッチ売りの 少女』は、かなしい 話じゃのう。」

「親せきの お姉さんは、女子高に 通って いるの。」

いみとことば 2

むすめの こと。

長女・じ(次)女・三女・王女

「きのう 見た ドラマに 出て いた 女ゆう(優)の 名前、何だっけ?」

「まる子ったら、王女さまに なった ゆめを 見たんだって。」

「お姉ちゃんは、長女。あたしは じ(次)女だよ。」

かきじゅん

3かく

女 女 女

まめちしき 女の 子の ことは、「少女」。でも 男の 子は 「少男」では なく、「少年」と 言います。

おん ジン・ニン

くん ひと

ぶしゅ 人●ひと

なりたち

↓人

いみとことば 1

ひと。にんげん。

男の人・女の人・人間・友人
びょう(病)人・名人・大人

「花輪くんには、外国人の友人がたくさんいるのね。」

「ヒデじいは、クラスのみんなにとても人気があるんだよ。」

「わたしの人生、いろいろつらいことがありました。」

「わしも、ヒデじいのようなりっぱな人間になりたいのう。」

「大人は、夜ふかししてもしかられなくていいよね。」

「佐々木のじいさんは、木をうえる名人だな。」

いみとことば 2

ひとのかずをかぞえるたんい。

一人・二人・百人・千人

「たまちゃんと二人で、花をつみに行ってきたよ。」

かきじゅん

2かく

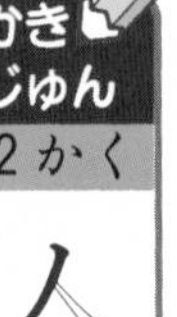

人

まめちしき とくべつな読み▶「大人」は、「おとな」と読みます。「一人」「二人」もおぼえてね。

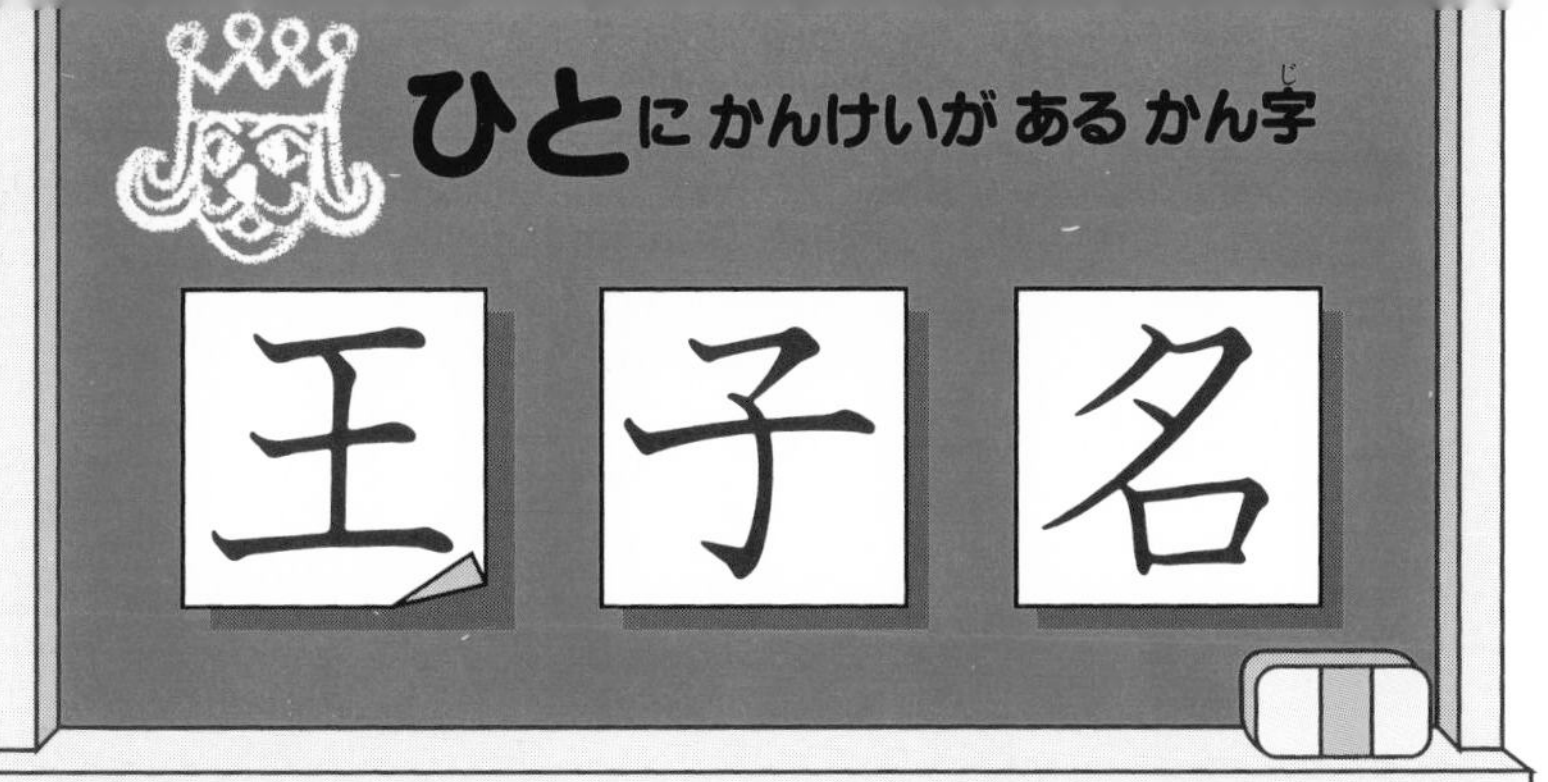
ひとにかんけいがあるかん字
王
子
名

まるちゃん王女になるのまき
お姉ちゃん テレビ見ないの? あれ? 何読んでるの?
はつ明王エジソンのでん記よ
エジソン

あんたもたまには本読みなさい
エジソン

いつも読んでいるよ マンガだけどね
たまにはせかいの名作どう話を読もうかな

出てくるのは王子さまとか王女さまばっかりだね
はあ〜〜〜あたしもどっかの国の王さまの子どもに生まれていたら

まる子王女なんてよばれて毎日 ごちそう食べてたんだろうなあ……
でも……

まる子や まる子王女や
ハイ お父さま?

ジャ〜〜ン
国王ひろし とう場
まる子王女 たばこ買ってきてくれ
30円 あげるから

それじゃ 今と おんなじだよ
ハハハ ばかね
パタン

どこかの 国の
王さまの
子どもに
生まれるん
でしょ?
うん

当ぜん
「まる子」なんて
名前の はず
ないじゃない

そうか……
それじゃ
名ふだも
かえて
もらわなきゃ
いけないね
ガクッ
めんど
くさいね

本当の 王女だったら
しつけも
きびしいから
そんな だらだらして
いられないわよ
え…
べん強も
もっと
させられる
し……

そうか…
王さまの
子どもも
楽じゃ
ないんだね
ふ〜ん

あたし
お父さんと
お母さんの
子どもで
よかったよ
え?
?
何か
ようすが
へんだぞ
本当に そう 思う
まる子で あった

王

おん　オウ

くん　——

ぶしゅ　王●おう

なりたち

「王さまの 力を あらわす おのから 作った 字だよ」

王 ⬇ 王

いみとことば 1

おうさま。こくおう。

王さま・国王・王国・女王
王子・王女・大王・ま王

「うそを つくと、えんま大王に した(舌)を ぬかれるぞ。」

「しょうぎは、王さまを とり合う ゲームじゃよ。」

「女王バチって、とっても 大きいんだね。」

「花輪くんは、どこかの 国の 王子さま みたい。」

いみとことば 2

いちばん すぐれて いる ひとや もの。

はつ(発)明王・ホームラン王

「はつ(発)明王 エジソンの でん(伝)記は、おもしろかったよ。」

「今シーズンの ホームラン王には、だれが なるんだろうなあ。」

「どうぶつ園で、百じゅうの王 ライオンを 見たよ。」

かきじゅん

4かく

まめちしき

「王」▶三本の よこぼうは、上を 中くらい、まん中を みじかく、下を 長く 書きます。

子

おん シ・ス

くん こ

ぶしゅ 子●こ

なりたち 子

「赤ちゃんが 手を 広げた すがたを あらわして いるんだよ」

いみとことば 1

こども。

子ども たち・子ねこ・子犬

親子・王子・子もり歌

「まる子は、赤ちゃんの ときから 元気な 子じゃったよ。」

いみとことば 2

ひと。

男子・女子・子弟・才子

くん(君)子

「うちの クラスの 男子と 女子は、もっと なかよく しましょう。」

いみとことば 3

ちいさい もの。こまかい こと。

原子・電子・子細

「電子レンジは、べんりで たすかるわ。」

いみとことば 4

ことばの したに つけたす。

ちょう(調)子・よう(様)子

「あんたって、本当に ちょう(調)子の いい 子ね。」

かきじゅん

3かく

子 子 子

まめちしき 正しく 書こう▶「子」の「了」の ぶぶんは、(乛)と(亅)の 2画に 分けて 書きます。

名

おん　メイ・ミョウ

くん　な

ぶしゅ　口●くち

なりたち

名

三日月(みかづき)と 口(くち)の 形(かたち)だよ くらいので 名前(なまえ)を 言(い)い合(あ)ったんだね

いみとことば 1

ひとや もの の なまえ。よびな。

名前(なまえ)・名字(みょうじ)・本名(ほんみょう)・人名(じんめい)

地名(ちめい)・あだ名(な)・名(な)ふだ

「あたしの 本名(ほんみょう)は、さくら ももこ。『まる子(こ)』は、あだ名(な)だよ。」

いみとことば 2

すぐれて いる こと。

名人(めいじん)・名作(めいさく)・名(めい)あん(案)・名月(めいげつ)

「『ちびまる子(こ)ちゃん』は、名作(めいさく)じゃのう。」

いみとことば 3

ひょうばんが たかい こと。

名(めい)ぶつ(物)・ゆう(有)名(めい)

「花輪(はなわ)くんの 家(いえ)って、お金(かね)もちで ゆう(有)名(めい)よね。」

いみとことば 4

ひとの かずを かぞえる たんい。

一名(いちめい)・十名(じゅうめい)・百名(ひゃくめい)・千名(せんめい)

「サッカーは、一(いっ)チーム 十一名(じゅういちめい)ずつで、たたかうのさ。」

かきじゅん

6かく

名名名名名名

まめちしき

「名字(みょうじ)」▶先(せん)ぞ(祖)だいだい つたわる その 家(いえ)の 名前(なまえ)。「さくら」「永沢(ながさわ)」「山田(やまだ)」など。

いきものに かんけいが ある かん字
犬
虫
貝

まるちゃん
犬が かいたいのまき
夏休みの ある日 まる子は
たまちゃんに すず虫を 分けて あげた
はい たまちゃん
すず虫 十ぴき
ありがとう
でも 本当に
もらって いいの？
リーン
リーン
リーン

もらって
もらうと
たすかるんだよ
すず虫
ふえすぎ
ちゃってさ

ふうん
だから
もらって
くれた
おれいに
これ あげるよ
ゴソ
ゴソ
リーン
リーン

ハイ♡
わあ さくら貝の 貝がらだあ
リーン リーン
南の しまで ひろってきたんだ まだ 家に いっぱい あるよ
ありがとう 大じに するわ
ワン ワン
リーン リーン

あっ たかしくんだ
ワン ワン
きっと 犬と さん歩に 行くんだね

いいなあ あたしも 子犬 かいたいよ
でも ちゃんと せ話 できないから だめって お父さん 言うんだよね

でも すず虫は ちゃんと せ話 してるんでしょ?
だから 犬も 大じょうぶ って お父さんに 言ったら?

そうか!
その 作せんで いこう
作せんと 言うほど 大したものでは ない

犬虫貝

ただいまーっ
ガラガラ
ねえ お父さん ちょっと 話が あるんだけど…

こら まる子 虫カゴの ふた ちゃんと しめなかった ろう
すず虫が にげ出して 大さわぎ だったん だぞ!

それに 貝がらも ちらかした ままでしょう
ちゃんと かたづけ なさい!
ひ〜

家に帰った とたん この作せんは つかえないと 思った まる子で あった
犬 かっても いい? なんて ぜったい 言えないよ……

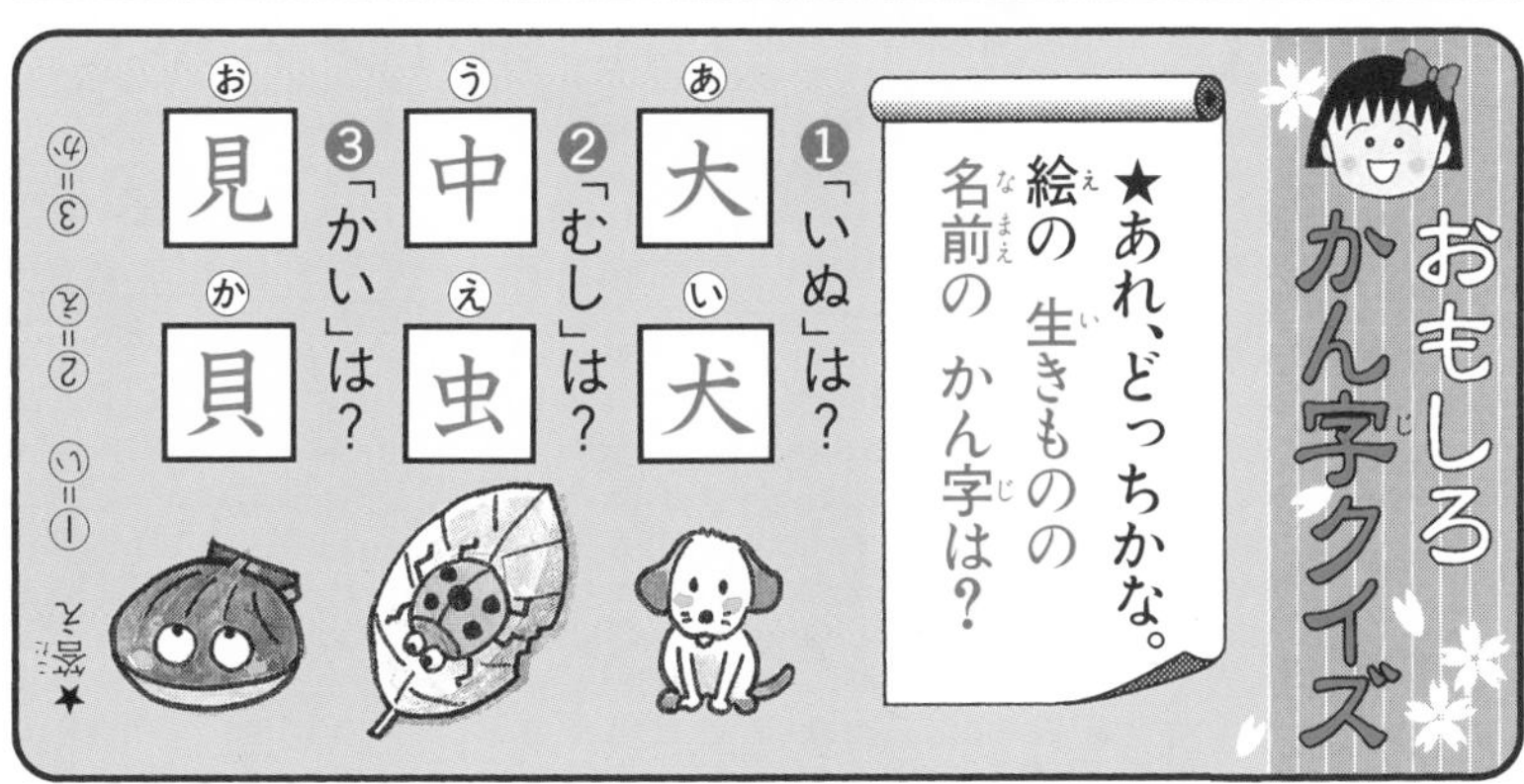
おもしろ かん字クイズ
★あれ、どっちかな。絵の 生きものの 名前の かん字は?
❶「いぬ」は?
あ 大
い 犬
❷「むし」は?
う 中
え 虫
❸「かい」は?
お 見
か 貝
★答え ①=い ②=え ③=か

犬

おん　ケン

くん　いぬ

ぶしゅ　犬●いぬ

なりたち

犬の すがたを あらわした 文字だよ

犬

いみとことば 1

どうぶつの いぬ。

子犬・かい犬・あい犬・名犬

野犬・りょう犬・ま(負)け犬

「きのう、となりの 家の 犬に ほえられちゃったよ。」

「まるちゃん、たかしくんの 子犬、見に 行こう。」

「先週の 日曜日に、お母さんと 犬小や(屋)を 買いに 行ったんだ。」

「このへんに、野犬が 出るんですって。こわいわねえ。」

「ぼくの あい犬は、ものすごく かしこいのさ。」

「るす番の とき、番犬が いれば あん(安)心なのになあ。」

「けいさつ犬が、ズバリ どろぼうを つかまえたでしょう。」

「丸尾くんは、犬かきしか およげないんだね。」

かきじゅん

4かく

犬 犬 犬 犬

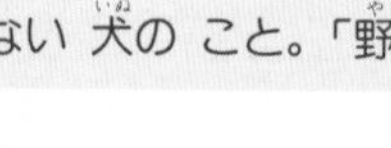

まめちしき　ことばの いみ▶「のら犬」とは、かいぬしの いない 犬の こと。「野犬」とも 言います。

おん　チュウ

くん　むし

ぶしゅ　虫●むし

なりたち

虫

「あたまの 大きな へびの 形を あらわした 字だよ」

いみとことば 1

むし。こんちゅう。

こん虫・かぶと虫・すず虫
よう虫・がい（害）虫

「すず虫の 鳴く 声を 聞くと、しみじみするのう。」

「まる子、買ってやった かぶと虫、ちゃんと せ話 するんだぞ。」

「まるちゃん、公園で、こん虫さいしゅう しようよ。」

「せみが、虫かご いっぱいに なったね。」

「まる子、ほら、はっぱの 上に てんとう虫が いるよ。」

「この 青虫が、きれいな ちょうに なるとは、しんじられないブー。」

「せい（成）虫とは、大人の すがたに なった こん虫です。」

「かぶと虫は、ズバリ こん虫の 王さまでしょう。」

かきじゅん

6かく

虫 虫 虫 虫 虫 虫

まめちしき

「虫」▶5画目の よこぼうは、少し 右上がりに、6画目の 点は、気持ち 長めに 止める。

貝

おん ――
くん かい
ぶしゅ 貝●かい

なりたち

いみと ことば 1

うみや かわに すむ かい。

貝がら・二まい貝・まき貝
さくら貝・ほたて貝・貝づか

「しおひがりで、貝を いっぱい とって きたよ。」

「まき貝の 貝がらを 耳に 当てると、なみの 音が 聞こえる 気が するね。」

「大むかしの 人が、貝がらを すてた あとが、貝づかじゃな。」

「海で、さくら貝の 貝がらを たくさん ひろったブー。」

「アハハ。ほたて貝の 貝ばしらは、大こうぶつだよ。」

「南の しま(島)の おみやげは、貝細工の 首かざりだよ。」

「あさりや はまぐりは、ズバリ 二まい貝でしょう。」

「ほら貝の 音は、いさましい かんじが するね。」

かきじゅん

7かく

貝 貝 貝 貝 貝 貝 貝

まめちしき 「貝」▶6画目は みじかく はらい(ノ)7画目は 点(、)で 止める。

花草竹

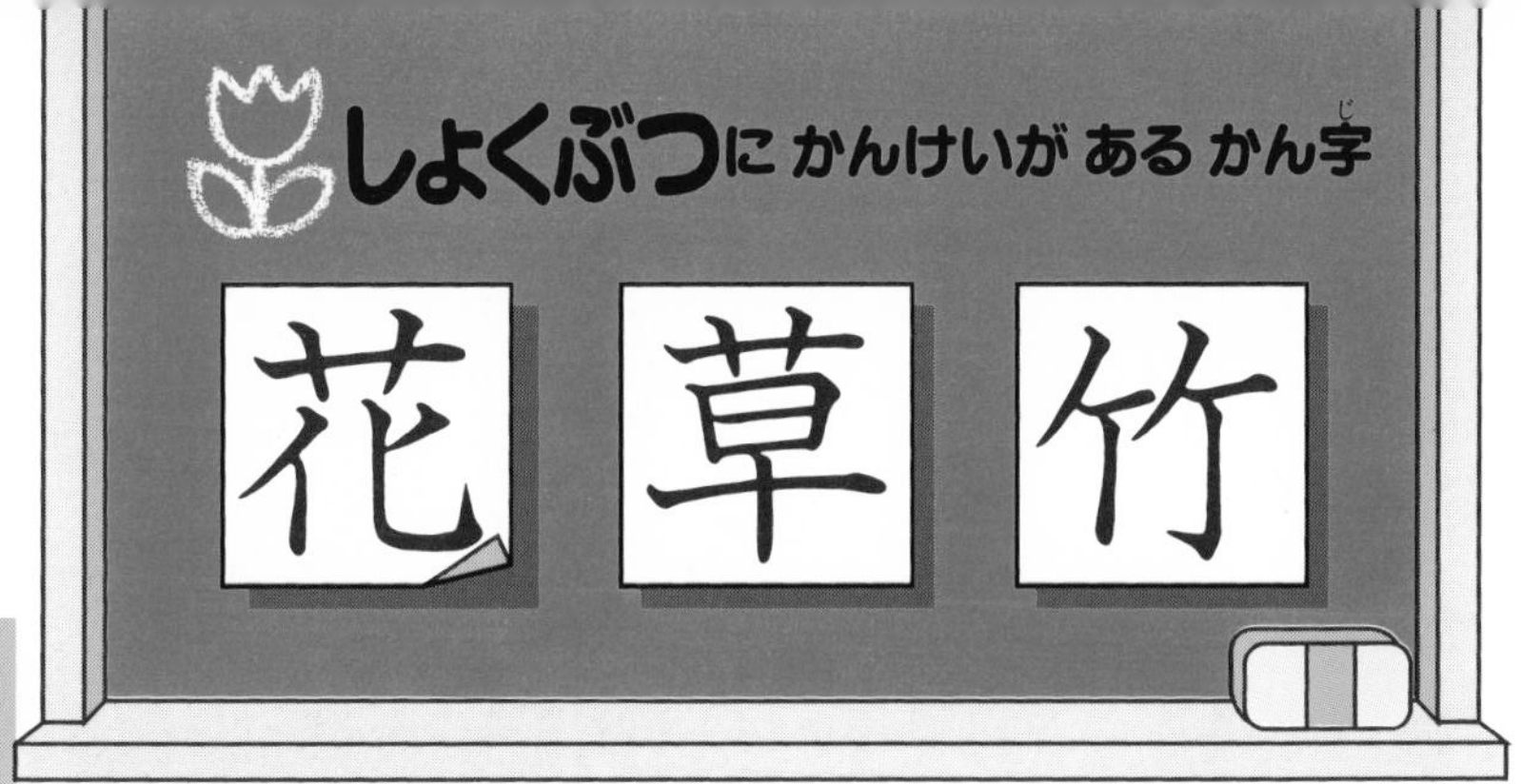

まるちゃん
花をつみに行くのまき

まるちゃん 土手に花を つみに行こう

花…？ どうするの？

にわの竹で お父さんが 作ってくれたの
あー 七夕の とき 分けてもらった 竹だね

それに かざる 花が ほしいんだ
そうか 分かった 手つだうよ!

うわ〜〜っ たまちゃん 見て 見て!
クローバーだ!
ホントだ 草の みどりと クローバーの 白で 土手が うまってる!

クローバーってね 「しろつめ草」とも 言うんだよ
そういうこと だけは みょうに 知っている まる子で ある
へーーっ まるちゃん もの知りだね

さあ 花を つもう!
あ まって まるちゃん

ここの花つむのやめよう
え？

こんなにみんな一しょにさいて いるんだもん
みんなから引きはなして もって行っちゃったら かわいそうじゃない？

……そうか
花や 草だってみんなと一しょの方がいいよね
うん

竹の花びんに入れる 花は手に 入らなかったけれどまる子もたまちゃんもそれで十分まん足だった

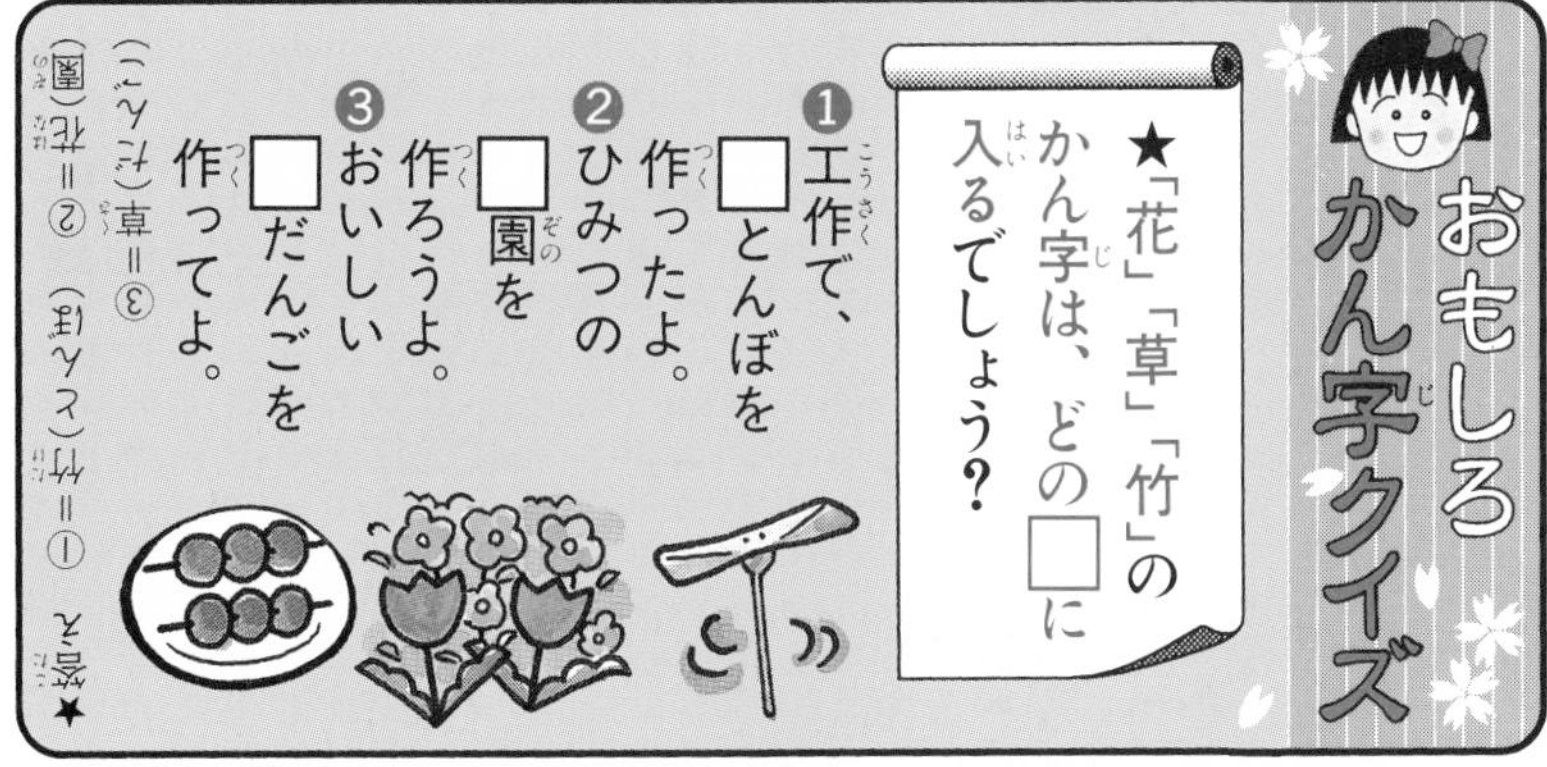
おもしろかん字クイズ
★「花」「草」「竹」のかん字は、どの□に入るでしょう？
❶工作で、□とんぼを作ったよ。
❷ひみつの□園を作ろうよ。
❸おいしい□だんごを作ってよ。
★答え ①＝竹（とんぼ） ②＝花（園） ③＝草（だんご）

花

おん　カ

くん　はな

ぶしゅ　艹●くさかんむり

なりたち

艸
↓
花

しょくぶつ(艹)と かわる いみの 字(化)を 合わせたのさ

いみとことば 1

しょくぶつの はな。

バラの 花・なの花・花たば

花びん・花だん・お花ばたけ

「まるちゃん、グラジオラスの 花が さいたよ。」

「ぼくは、きのう 公園で、お花見を したでしょう。」

「花だんに 入った ボールを、とらせて ください。」

「花びんを わったのは、ぼくじゃないブー。」

いみとことば 2

きれいなもの。りっぱな もの。

花火・花よめ・花むこ・花形

「こんな ところに お花ばたけが あったなんて、知らなかったよ。」

「花火って、何ど(度)見ても きれいだね。」

「ばあさんの 花よめ すがたは、きれいじゃったのう。」

かきじゅん

7かく

花 花 花 花 花 花 花

まめちしき

くさかんむり(艹)は、よこぼう(一)→左(十)→右(艹)と 書く。

おん ソウ

くん くさ

ぶしゅ 艹●くさかんむり

「くさ」を いみする（艹）と「ソウ」の 音を あらわす（早）を 組み合わせた 字よ

なりたち

↓草

いみとことば 1

くさ。しょくぶつ。

草花・水草・月見草・七草

草原・草むら・草むしり

「雨上がりの 草花は、生き生きして いますね。」

「明日は、佐々木の じいさんと 公園の 草むしりを するんじゃ。」

「ざっ草でも、きれいな 花を さかせる ものが あるんだね。」

「金魚を かうなら、水草も わすれずに 入れるのよ。」

「月見草は、夜に さくって、本当かな？」

「そこの 草むらで、百円 ひろっちゃったブー。」

「春休みに、アフリカの 大草原に 行って きたのさ、ベイビー。」

「春の 七草と 秋の 七草は、草の しゅるいが ちがうのよ。」

かきじゅん 9かく

草 草 草 草 草 草 草 草 草

まめちしき 「ざっ草」▶人が うえたのでは なく、自ぜんに 生えた 草。

竹

おん チク

くん たけ

ぶしゅ 竹●たけ

なりたち

↓ 竹

竹の 形から 作られた 字なんだよ

いみと ことば 1

しょくぶつの たけ。

竹やぶ・青竹・竹馬・竹林

竹の子・竹とんぼ・竹細工

「うちの にわには、竹が 生えているの。」

「むかしは、竹ざおで、せんたくものを ほしたのよ。」

「たまちゃんちから、竹の子 もらったよ。」

「まる子、おじいちゃんが 竹馬を 作って やろう。」

「竹とんぼって、とばすのが むずかしいよ。」

「こりゃ また、りっぱな 竹林だな。」

「夏休みの 工作は、竹細工に ちょうせんするよ。」

「しゃく(尺)八は、竹で 作った たてぶえ(笛)でしょう。」

かきじゅん

6かく

竹 竹 竹 竹 竹 竹

まめちしき

「竹」▶左の たてぼうは、止めて(⺊)、右の たてぼうは、はねるんだよ(亇)。

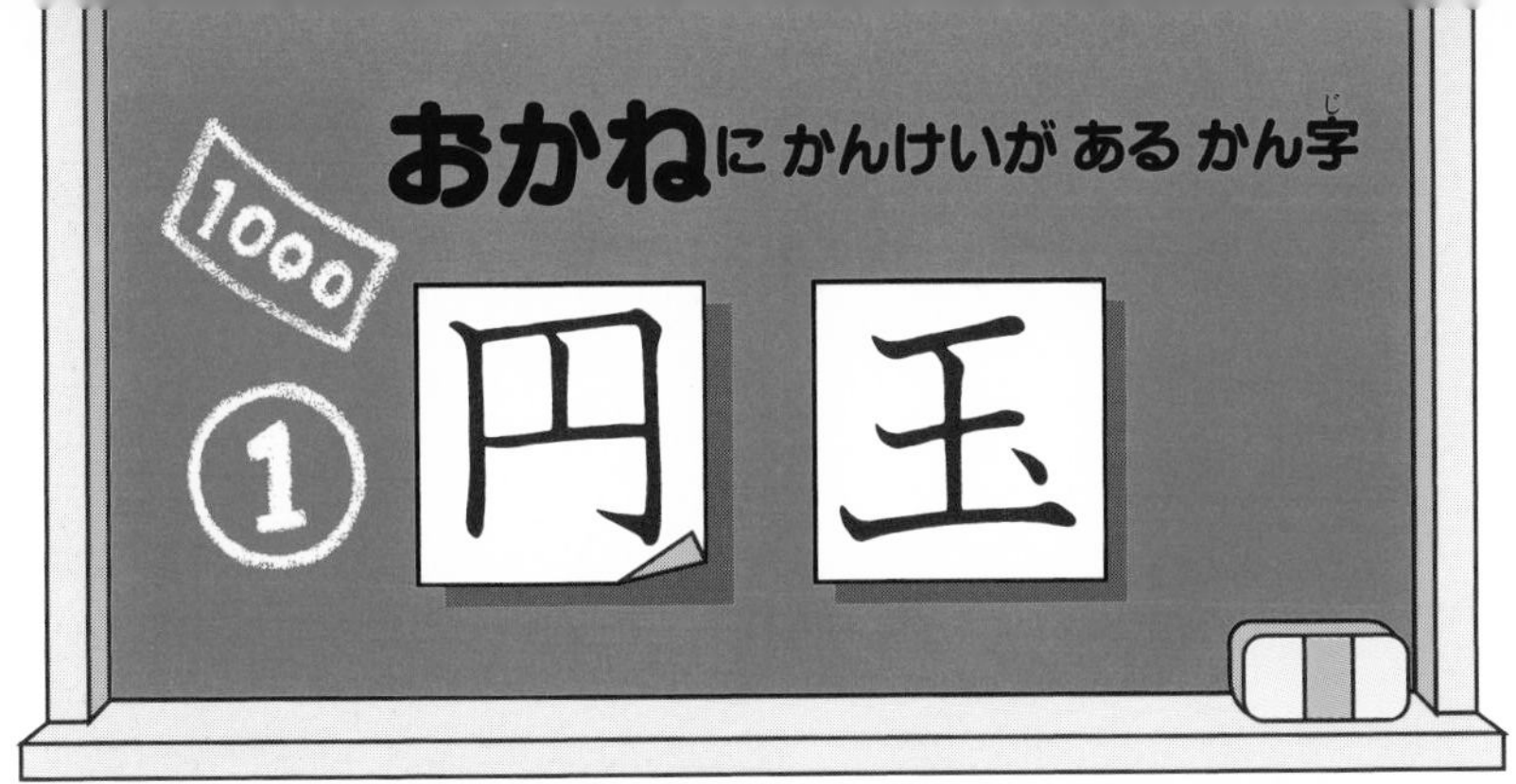

円玉

まるちゃん百円玉をひろうのまき

たまちゃん一しょに帰ろう！

うん

あれ何かおちてる？
百円玉だ
だれかおとしたんだね

まったく
まぬけで
ぼんやりしてる
やつが いるねえ
先生に
とどけよう

わかりました
ハイ
じゃあ
この 百円は
あした みんなに
聞いて
みましょう

まるちゃん
いいこと
したね
うん でも
とどけたのが
百円玉だと
少し
おしい気も
するよ

あれが
十円玉だと
おしい気なんか
おきないいん
だから
人間って
ふしぎだねえ
それは
あんただけで ある

百円は 大金だからね
あたしは いつも
ポケットの おくに
入れておくのさ
この
おくにね…
ススッ
フフフ…

あれ?
百円玉が
ないいっ!?
えっ

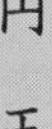

＊今朝＝「けさ」は とくべつな 読み方です。

円

おん　エン

くん　まるい

ぶしゅ　冂●どうがまえ

丸い かこみの 中に 丸いと いう いみの 字が 入って いるのよ

なりたち　圓➡円

いみと ことば 1

まるい もの。まる。

円・半円・円形・円ばん

同心円・だ円

「まる子や、ああ いう 半円形の 月を 半月と 言うんじゃよ。」

いみと ことば 2

おだやかな こと。

円まん(満)・円かつ

円じゅく(熟)

「家ぞく(族)が 円まん(満)に くらせるのが、いちばんだね。」

いみと ことば 3

おかねの たんい。

一円・五円・十円・五十円

「あんなに あった お年玉も、もう 二百円しか ないブー。」

「三十円しか なかったから、やきいも 買えなかったよ。」

「ぼくの ちょ金は、もう 一万円を こえたでしょう。」

かきじゅん

4かく

円 円 円 円

まめちしき　正しく 書こう▶「円」の 1画目の おわりは、「止め」で、2画目の おわりは、「はね」です。

玉

おん　ギョク

くん　たま

ぶしゅ　玉●たま

なりたち

玉

「三この ほう石を ひもで つないだ 形を あらわしたんだね」

いみとことば 1

まるい かたちを した もの。

シャボン玉・目玉やき・お手玉
水玉もよう・玉の(乗)り

「たまちゃん、こんな 大きな シャボン玉が できたよ。」

「この 水玉もようの ふく、きのう 買って もらったの。」

「ぼくの 目玉やきは、たまごを 二こ つかって ほしいブー。」

「うんどう会の 玉入れは、ズバリ もえるでしょう。」

いみとことば 2

うつくしい たいせつな もの。

玉の ような 子ども・お年玉

「ふっふっふ。サーカスで、玉の(乗)りを 見たのよ。」

「花輪くんって、お年玉 いくら もらうんだろう。」

「おじいちゃんが 玉手ばこ(箱)を あけたら、どう なるのかな？」

かきじゅん

5かく

玉　玉　玉　玉　玉

まめちしき

正しく 書こう▶「玉」の 点は、3画と 4画の 間に 打つと、まとまりが よく なります。

書きじゅんの きまり【その3】

正しい 書きじゅんだと うまく書けるよ

●よこと たての 線が まじわる ときは、よこの 線を 先に 書く。

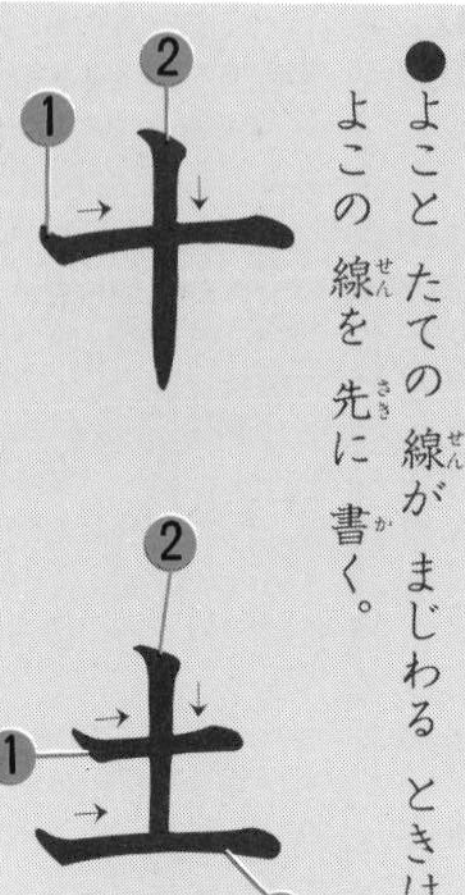

花花花花花花

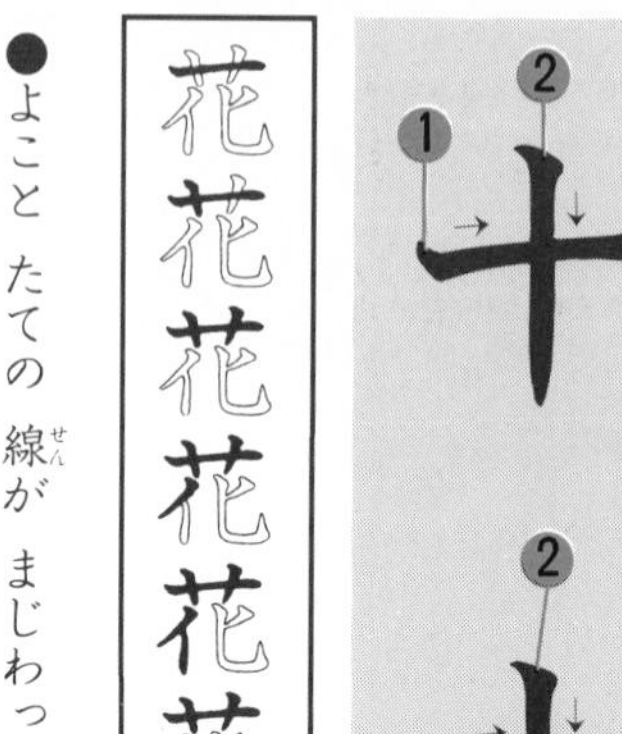

●よこと たての 線が まじわっても、「王」と「田」は たてぼうが 先。

王王王

田田田

●中と 右と 左が ある ときは、中を 先に 書く。

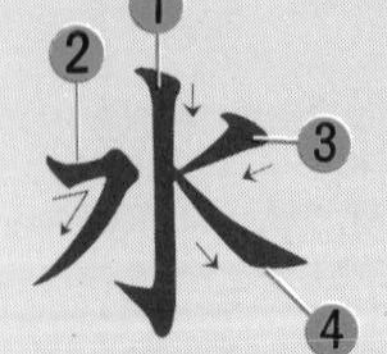

●中と 右と 左が ある 字でも、「川」と「火」は 書きじゅんが ちがいます。

川川川

火火火火

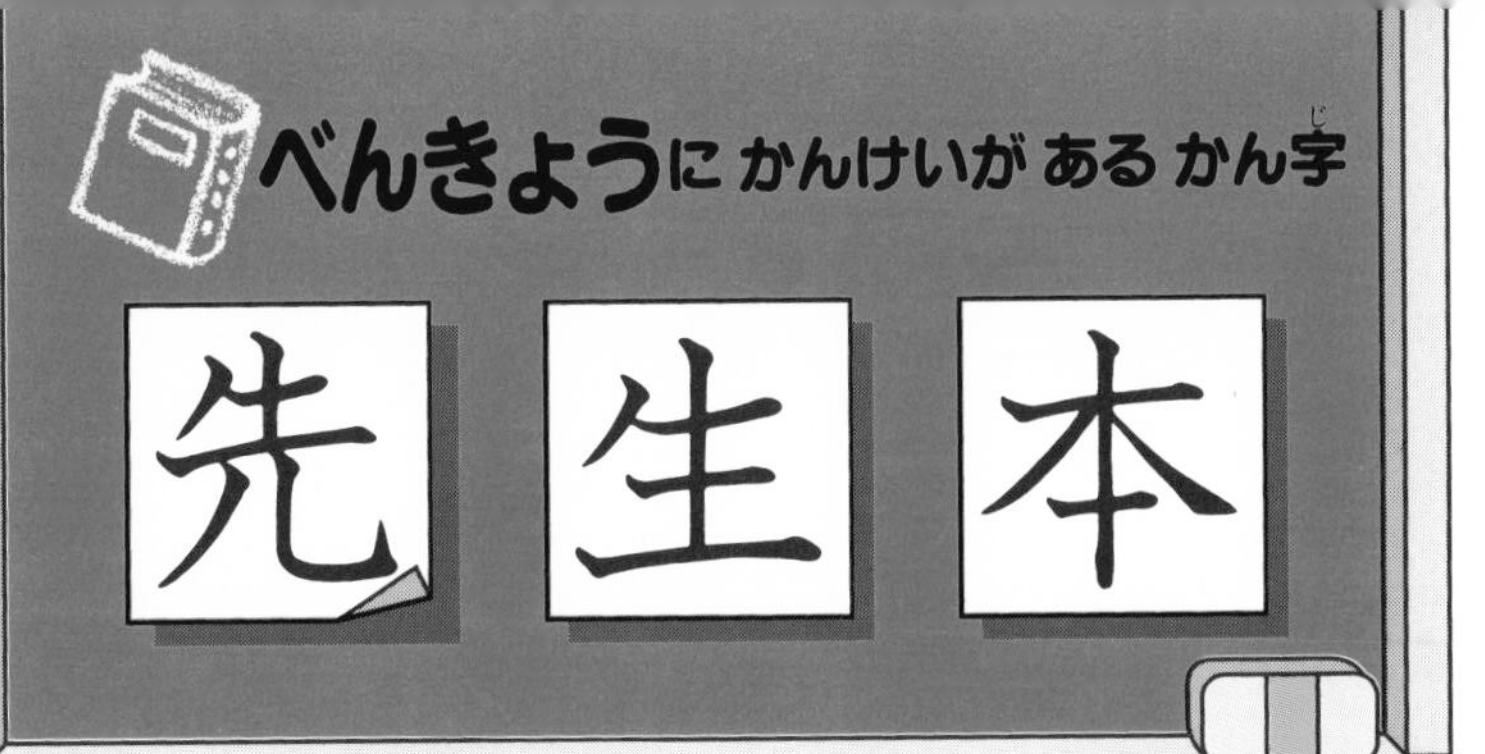
べんきょうに かんけいが ある かん字
先
生
本

まるちゃん 図書室に 行くのまき
こんなに 本が あると どれを かりるか まよっちゃうよ う〜〜〜ん
まるちゃん わたしたち 先に この本 かりてくるね

図書室って 本だなで くぎられてるから めいろみたいだね
そうだ たまちゃん たちが 帰ってきたら かくれんぼしよう

だめですよ さくらさん
あっ 先生

図書室は
かくれんぼを
する ところでは
ありません
もう
三年生だから
わかりますね
ハーイ
あ〜〜〜 びっくりした
あんな ところに
先生が いるとは
思わなかったよ
ふぅっ

まるちゃん
かりる本
きまった？
どうしたの
ためいき
ついて？
？
ううん
何でも
ないよ

さくらさんは
ここで かくれんぼを
しようとして
先生に ちゅうい
されました
ズバリ
ぼくは 見ていた
でしょう！
エッ
あ…

わざわざ
言いつけなくても
いいでしょ
本当の こと
だから しかた
ないでしょう
フン！
あんた
せいかく
わるいよ

もう あたしゃ
本気で
おこったよ！
あんた
なんか
こうだ！
？
あっかん
べー

先生本

おもしろかん字クイズ

★「先」「生」「本」の かん字は、どの□に 入るでしょう?

❶ぼくの 大すきな 絵□です。

❷わたしの たん□日は、あしたです。

❸わからない から、□生に 聞こうよ。

★答え ①絵本 ②たん生日 ③先生

先

おん セン

くん さき

ぶしゅ 儿 にんにょう

なりたち

足(㞢)と 人(入→儿)を 合わせて「つま先」を あらわした 字なんだよ

↓ 先

いみとことば 1

もののはし。はじめの ところ。

ゆび先・つま先・先頭
先回り・春先・先たん

「いてて。つまずいて、つま先を う(打)っちゃったよ。」

「春先は、まる子じゃ なくても ねむたい わねえ。」

「クラスの 先頭に 立つのは、やっぱり ぼくでしょう。」

「近道を 通って、永沢くんの 先回りを して やろう。」

いみとことば 2

いまより まえの こと。

先日・先週・先月・先年

「先週は、あんまり まるちゃんと あそべなかったね。」

「先月の すえに ひいた かぜが、まだ なおらないんだ。」

「おぼんだから、ご先ぞさまの おはかまいりに 行かなきゃのう。」

かきじゅん

6かく

先 先 先 先 先 先

まめちしき

「先」▶もともと「死んだ人」の いみが あり ご先ぞさま→「前の こと」の いみに なった。

おん セイ・ショウ

くん いきる・いかす・いける
うまれる・うむ・おう㊥
はえる・はやす・き㊥
なま

※㊥は、中学でならう読み。

ぶしゅ 生●うまれる

しょくぶつが 地めん(面)から 生える ようすを あらわして いるんだよ

なりたち

⬇ 生

いみとことば 1

うまれる。はえる。

生まれる・生える・野生
たん(誕)生

「おばさんの 家で、子ねこが 生まれたの。」

「ちょっと 見ない うちに、こんなに ざっ草が 生えたか。」

「あしたの おたん(誕)生会、まるちゃんも 来てね。」

「ホタルの 森へ 行く と中で、野生の うさぎを 見たんだブー。」

いみとことば 2

いのち。いきて いる。

生めい(命)・生活・長生き

「おじいちゃん、おばあちゃん、長生き して おくれよ。」

いみとことば 3

にんげんの こと。

先生・学生・生と(徒)

「山田は、木に のぼって、先生に しかられて いたぜ。」

かきじゅん

5かく

生 生 生 生 生

正しく 書こう▶「生」の いちばん 下の よこぼうは、上よりも 長く 書きます。

本

おん　ホン

くん　もと

ぶしゅ　木●き

なりたち

木の ねもとに しるしを つけて もとと いう いみに したのね

木→本

いみとことば 1

ぶんや えの かかれた ほん。

絵本・本や(屋)さん
たん(単)行本・せい(製)本

「この 絵本は、一年生の ときに 買って もらったんだ。」

いみとことば 2

ものごとの もとに なるもの。

き(基)本・本社・本場
本ぶ(部)・本ぎょう(業)

「やっぱり、静岡県は、お茶の 本場じゃのう。」

いみとことば 3

ほんとう。ただしい。

本当・本もの・本気・本心

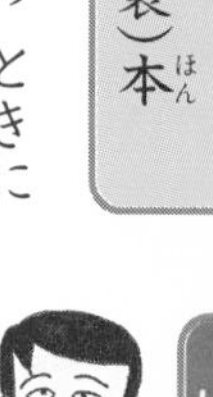

「ははは。まる子は、本当に こわがりだな。」

いみとことば 4

ながい ものを かぞえる たんい。

一本・二本・十本・百本

「まる子、きゅうりを 三本 買って きて ちょうだい。」

かきじゅん

5かく

本本本本本

まめちしき

数えてみよう▶一本・二本・三本・四本
五本・六本・七本・八本(＊)・九本・十本。

＊「八本(はちほん)」は、「はっぽん」とも 読みます。

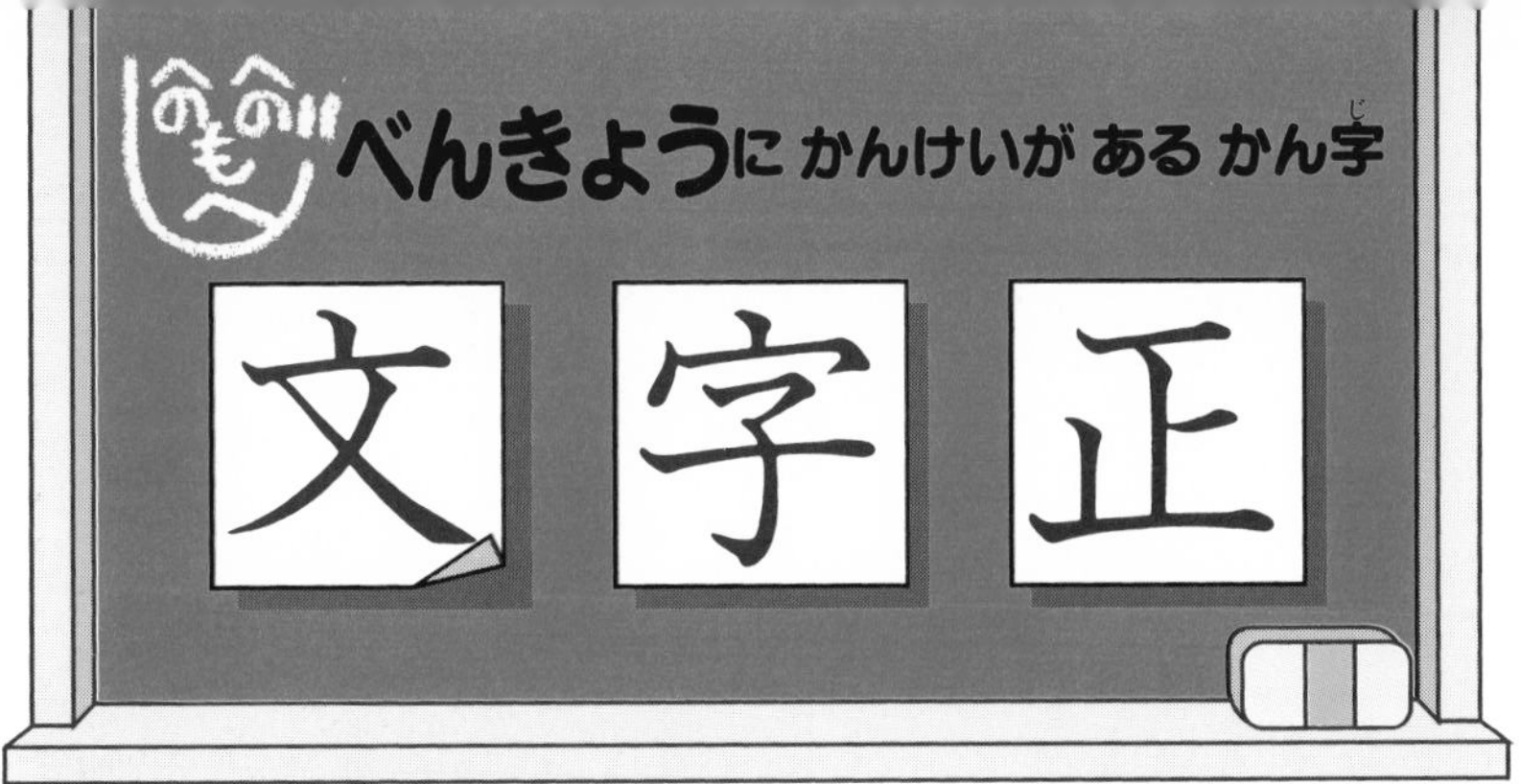

ものへ
べんきょうにかんけいがあるかん字
文
字
正

まるちゃん書きぞめをするのまき
まる子じん社へはつもうでに行かんか？
あれ？何してるんじゃ？
書きぞめだよフーッもう十回も書き直ししちゃったよ

書きぞめとはえらいぞまる子
それこそ正しい正月のすごし方じゃ！
ナデ
エヘヘー
ナデ
どうせしゅくだいなんでしょう
ズバリ正かいである

＊上手＝「じょうず」は とくべつな 読み方です。

!!

文字正

おもしろ
かん字クイズ
★かん字の ぼうしを とったら、こんな顔に なりました。どの ぼうしが だれのか、わかるかな？
①止
②乂
③子
●だれの ぼうし？
あ 宀
い 一
う 亠
★答え ①い＝正 ②う＝文 ③あ＝字

何しとるん じゃね まる子
いもばん だよ
字を ほって いるんだよ

さくら
ペタン
さくら
パッ
ももこ

三学き——
自分の はんこまで おしてある なんて 先生 かん心 しました
正月 三年 さくら
「しっぱいは せいこうの もと」で あった
えへへ…

おん　ブン・モン

くん　ふみ㊥

ぶしゅ　文●ぶん

※㊥は、中学で ならう 読み。

なりたち

いみとことば 1

もじで かいた もの。ぶん。

文字・文しょう(章)・作文
文通・文学しゃ(者)・文書

「まるちゃんは、作文 書くの 上手だよね。」

「まる子は、文学しゃ(者)に なれるかも 知れんのう。」

「あたし、沖縄県の 女の子と 文通 してたんだよ。」

「山田、学きゅう(級)文こ(庫)の 本は、ちゃんと、かえせよブー。」

「ズバリ、わがクラスの 文しゅう(集)を 作りましょう。」

「まる子、つくえの 上の 文ぼうぐ(具)、かたづけなさい。」

「六年生とも なると、むずかしい 文しょう(章)を 読むのねえ。」

「文字には、書きじゅんが あります。正しく おぼえましょう。」

かきじゅん

4かく

文

まめちしき

ことばの いみ▶「文通」とは、だれかと 手紙の やりとりを する こと。

おん　ジ

くん　あざ㊥

ぶしゅ　子●こ

※㊥は、中学でならう読み。

なりたち

子どもの ように 字が ふえると いう いみで 家(宀)と 子どもなのさ

字 ⬇ 字

いみとことば 1

もじ。

文字・かん字・数字・字引
字体・しゅう(習)字

「ズバリ、かん字は、中国で生まれた 文字でしょう。」

「ああ、くやしい。テストで、一字だけ まちがえちゃったわ。」

「わからない 字が あったら、字引で しらべなさいよ。」

「山田、あんた、数字の 書き方が めちゃくちゃだよ。」

「まる子や、字を 書く ときは、しせいが 大じ(事)なんじゃ。」

「ヒデじい、しゅう(習)字の 道ぐ(具)を もって きてよ。」

「花輪くんは、本当に 字が 下手なんだね。」

「よし。まる子は、がんばって『小学生かん字はかせ』に なるよ。」

かきじゅん

6かく

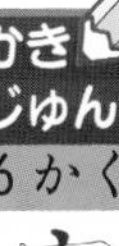
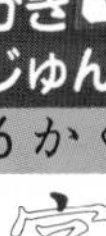

まめちしき

ことばの いみ▶「数字」とは、1・2・3や十・百・千の ように 数を あらわす 字です。

おん セイ・ショウ

くん ただしい ただす・まさ

ぶしゅ 止●とめる

一本の 線の 上に 正しく 立って いると いう いみの 字だよ

なりたち

⬇ 正

いみとことば 1

ただしい こと。ほんとうの こと。

正しい・正す・正直・正体
正かく・正門・正ぎ(義)

「正しい 行いを して おれば、こわい ものなど ないんじゃ。」

「お正月くらい、れいぎ 正しく して ほしいわ。」

「花びんを わった 人は、正直に 言った 方が いいブー。」

「どれだけ せ(背)が のびたか、正かくに はか(測)って やろう。」

いみとことば 2

きちんと して いる こと。

正しき(式)・正正どうどう

「うんどう会の しゅ(種)目が、正しき(式)に きまったでしょう。」

「ぼくたちは、正正どうどう スポーツする ことを ちかいます。」

「昼の 十二時を 『正午』と 言います。 おぼえましょう。」

かきじゅん

5かく

正 正 正 正 正

まめちしき

「正」▶ 5画(①一②丅③下④止⑤正)なので 数を かぞえる 記号に つかわれて います。

べんきょうにかんけいがあるかん字

学　校　年

いてて…
あーびっくりした
もーだれだよ?
ハッ
大じょうぶかね?

ガーン
校長先生!
ま…まずいっ

キミ学年は?
三年生です

三年生ならこの学校のきそくは知っているね?
は…はい

学校のろう下は?
走ってはいけません

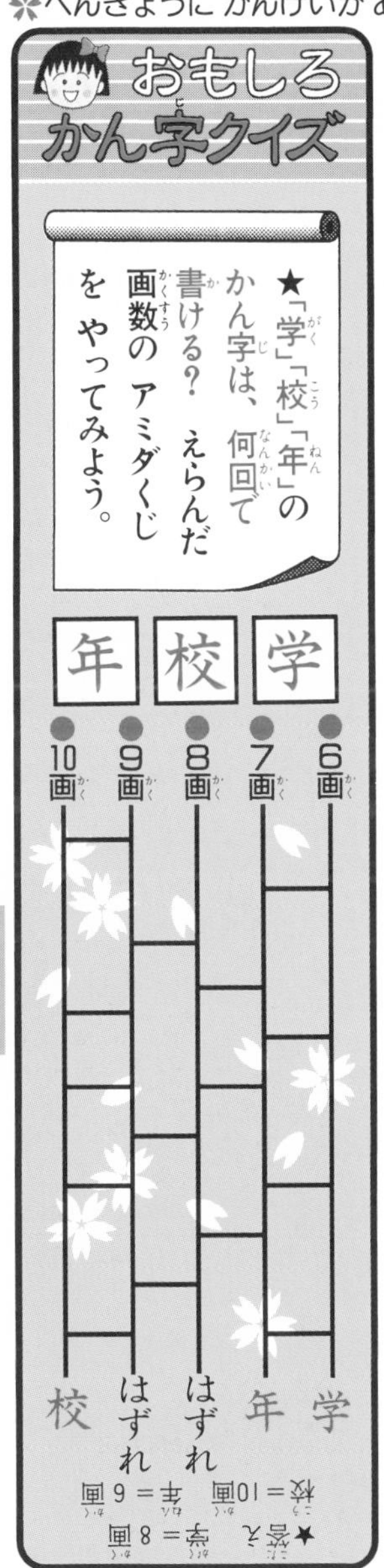
おもしろ かん字クイズ
★「学」「校」「年」の かん字は、何回で 書ける？ えらんだ 画数の アミダくじ を やってみよう。
年 校 学
10画 9画 8画 7画 6画
校 はずれ はずれ 年 学
★こたえ 学＝8画 校＝10画 年＝6画

分かって いるなら まもりなさい
は… はい どうも

うわ〜〜っ まだ 見てるよ
ジ〜〜〜
校長先生が 見ていた ために 走るわけには いかなかった まる子は――
ギクシャク
ギクシャク

キーンコーン
カーンコーン
3年3くみ
自分の 教室を 目の前にして チャイムを 聞いたので あった
ちこく だ……

学校年

おん ガク

くん まなぶ

ぶしゅ 子●こ

先生と 子どもが まじわって いる 家と いう いみなのです

なりたち 學 ↓ 学

いみとことば 1

べんきょう する。まなぶ。ならう。

学力・学しゅう(習)・見学
べん(勉)学・学用ひん(品)

「『よく 学び、 よく あそべ』。
学力も 体力も 大切なんです。」

いみとことば 2

がくもん。ちしき。けんきゅう。

科学・い(医)学・学もん(問)
学しゃ(者)・学い(位)

「科学ってのは、 どんどん
しん(進)歩して いってるのさ。」

いみとことば 3

がっこう。まなぶ ところ。

学校・学園・小学校

「山田くん、 通学ろ(路)で
わるふざけは、 やめましょう。」

「お姉ちゃんは、
来年 中学生に なるんだね。」

「台風が 上りく(陸)したんで、
学校は、 休校だってさ。」

かきじゅん

8かく

まめちしき

ぶしゅは、「子(こ)」。「⺍(ツかんむり)」と まちがえない ように。

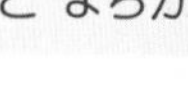

おん　コウ

くん　――

ぶしゅ　木　きへん

なりたち

校
↓
校

いみと ことば 1

べんきょうする ところ。がっこう。

学校・校しゃ(舎)・校歌

下校・校長先生

「うちの 校しゃ(舎)も、よく 見ると りっぱだね。」

「まるちゃん、校てい(庭)の さくらの 花が さいたよ。」

「藤木くん、校門の 前で、まってて くれよ。」

「みなさん、校歌は、もっと 元気よく 歌いましょう。」

「まる子、今日は、夏休みの とう(登)校日よ。」

「遠足には、校長先生も 一しょに 行くんだってさ。」

「もう、下校時間ですよ。気を つけて、帰って ください。」

「アハハ。学校は、大すきだけど、しゅくだいは、大っきらいだな。」

かきじゅん

10かく

校 校 校 校 校 校 校 校 校 校

まめちしき

学校に 行くのは、「とう(登)校」。

学校から 帰るのは、「下校」です。

年

おん　ネン
くん　とし
ぶしゅ　干●いちじゅう

なりたち
（古い字形）↓年

いねが みのる ようすから 一年を あらわす ことに なったんじゃ

いみと ことば 1

ときの ながさを あらわす たんい。
一年・今年・来年・年月・半年
新年・年まつ（末）年し（始）

「新年 明けまして おめでとう。まるちゃん、今年も よろしくね。」

「よーし。今年こそは、りっぱな おじいちゃんに なるぞ。」

「一年じゅう 夏休みだったら、いいと 思うブー。」

「年まつ（末）年し（始）は、何かと いそがしいわねえ。」

いみと ことば 2

ねんれい。

少年・年上・年下・年長

「まる子も 半年後には 四年生か。もっと、しっかり しなくちゃな。」

「お姉ちゃんは、あたしより 三才 年上なんだよ。」

「あたしは、おばあちゃんより……めちゃくちゃ 年下だねえ。」

かきじゅん

6かく

年 年 年 年 年 年

ことばの いみ▶「半年」とは、一年の 半分の 月日の こと。六か月です。

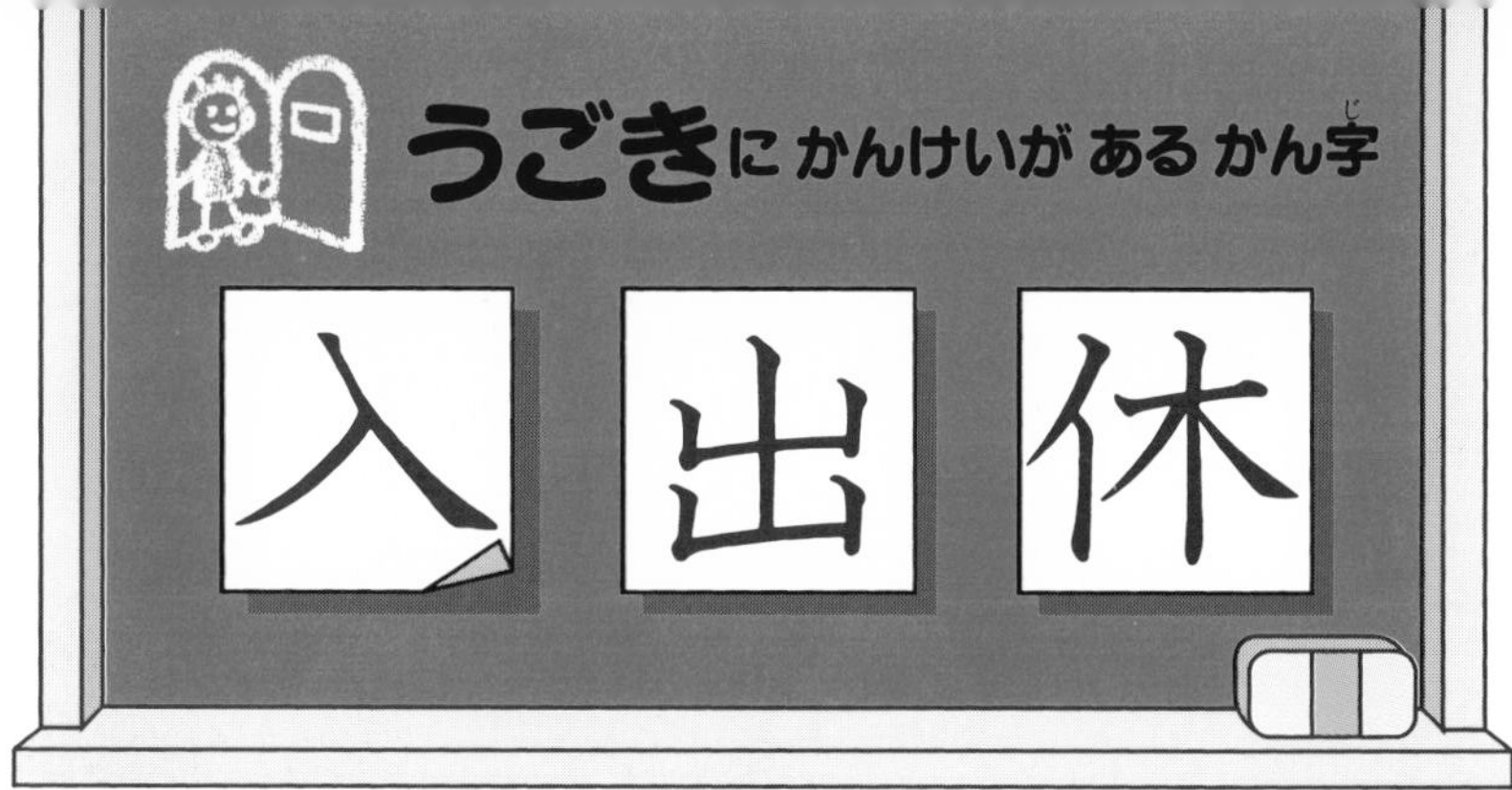
うごきにかんけいがあるかん字
入
出
休

まるちゃん
夜ふかしを するのまき
はぁ～～～
おふろ上がったよ
お父さん入ったら
おう

あっ おわらい番組
やってる！
まる子も 見る！
だめよ
まる子は もう
ねる時間でしょ
早く
ふとんに
入りなさい
ムッ

入出休

いいじゃん
あしたは 日曜日で
お休み なんだからさ

そうじゃ
そうじゃ
休みの 前の日
なんじゃから 少しくらい
夜ふかししても いいさ

でも あしたは
たまちゃんと
川に 行く やくそく
したんでしょ?
朝
おきられ
ないわよ

出ぱつは
お昼すぎ
だよ
たまちゃん
あたしが
おきられないの
知ってるもん
自まんには
ならない

それじゃ
パジャマ
きなさい
はい!
え──っ
いらないよ
あついもん

ゆざめして
かぜでも ひいたら
どうするの?
ちゃんと
きなさいよ!

かぜなんて
気合 入ってない
から ひくんだよ！
ポイ
そうじゃ！
わしらは
気合 入れて
テレビ見よう！
とても 気合が
入って いるとは
思えない

つぎの 日——
チュン
チュン
だから 言ったでしょ
今日は 一日
ふとんから
出ちゃだめよ！
やっぱり
かぜを ひき
ねつを 出して
せっかくの
日曜日を
台なしに
したので
あった
う〜ん
う〜ん

おもしろ
かん字クイズ
★「入」「出」「休」の
かん字は、どの□に
入るでしょう？
❶あしたは、□みだから
あそぼうよ。
❷外へ □て
あそぼうよ。
❸中へ □って
あそぼうよ。
★答え ①＝休 ②＝出 ③＝入

入出休

おん　ニユウ

くん　いる・いれる　はいる

ぶしゅ　入●いる

なりたち

⇩ 入

入口の 形を
あらわした
字なんだね

いみとことば 1

なかに はいる。いれる。

入口・入学・入場・入国
入せん・入園・入力

「自分の 家に 入ると、何だか ほっと するね。」

「サーカスの 入場けんが あるけど、行かないか ベイビー。」

「あたしの 絵が、てんらん会で 入せんしたんだよ。」

「入学しき(式)が、つい きのうの こと みたいに 思えるよ。」

いみとことば 2

その ひとの ものに なる。

入手・しゅう入・のう入

「プロ野きゅう(球)せん手の サインを 手に 入れたぞ。」

「おじいちゃんから、百円 いただき。今月の りん時しゅう入だよ。」

「ズバリ、月まつ(末)までに きゅう食ひを のう入しましょう。」

かきじゅん

2かく

入　入

まめちしき

「入」▶1画目の 左はらいを 少し みじかく して、2画目の 右はらいを 長めに 書く。

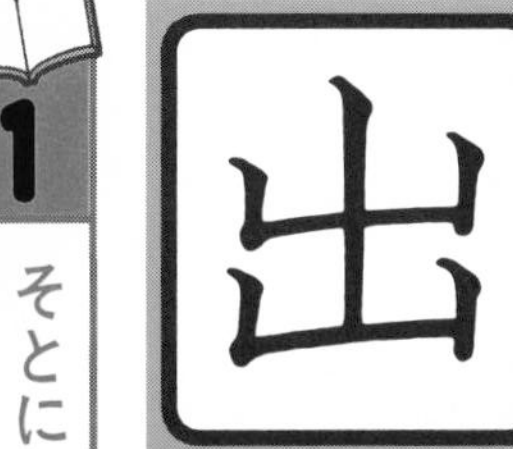

出

おん　シュツ・スイ㊥

くん　でる　だす

※㊥は、中学で ならう 読み。

ぶしゅ　凵●うけばこ

なりたち　→ 出

一本の 線から 足を 出している 形を あらわして いるんだ

いみと ことば 1

そとに でる。だす。

出し入れ・出口・外出
出ぱつ(発)・日の出・遠出

「さあ、みんなで、ホタルの 森 めざして、出ぱつ(発)だ！」

「おじいちゃん、一しょに はつ日の出を おがもうよ。」

「お母さんは、いったい どこへ 外出したんだろう？」

「おい、まる子。今日の ドライブは、遠出して みるか？」

いみと ことば 2

あらわれる こと。

出げん(現)・出場・出せき

「ホタルの 森は、とつぜん 出げん(現)する ふしぎな 森よ。」

いみと ことば 3

うまれる こと。

出さん(産)・出生・出しん(身)

「あたしの 出しん(身)地は、次郎長で ゆう(有)名な 清水だよ。」

かきじゅん

5かく

出 出 出 出 出

まめちしき　ことばの いみ▶「出しん(身)地」とは、その 人の 生まれ そだった ところです。

休

おん　キュウ
くん　やすむ・やすまる　やすめる
ぶしゅ　亻●にんべん

なりたち

木の かげで 休んで いる 人を あらわしたんだよ

休

いみと ことば 1

やすむ。ゆっくり する。

一休み・夏休み・冬休み
休日・休けい・れん(連)休

「昼休みに、みんなで サッカー しようぜ。」
「夏休みも、あと 二日で おしまいかあ。」
「休日だからって ねぼうは、ゆるさないわよ。」
「ゴールデンウイークが 来るよ。れん(連)休は、大かんげいだね。」

「一休みしたら、また、木を うえよう。」

「ヒデじい、人間 たまには 休ようも ひつよう(必要)だよ。」

「先週は、かぜで 三日も お休みしちゃった。」

「弱ったぞ、まる子。今日は、百か(貨)店の てい(定)休日じゃ。」

かきじゅん

6かく

休 休 休 休 休 休

まめちしき　ゴールデンウイークとは、四月まつ(末)から 五月はじめに かけての れん(連)休の こと。

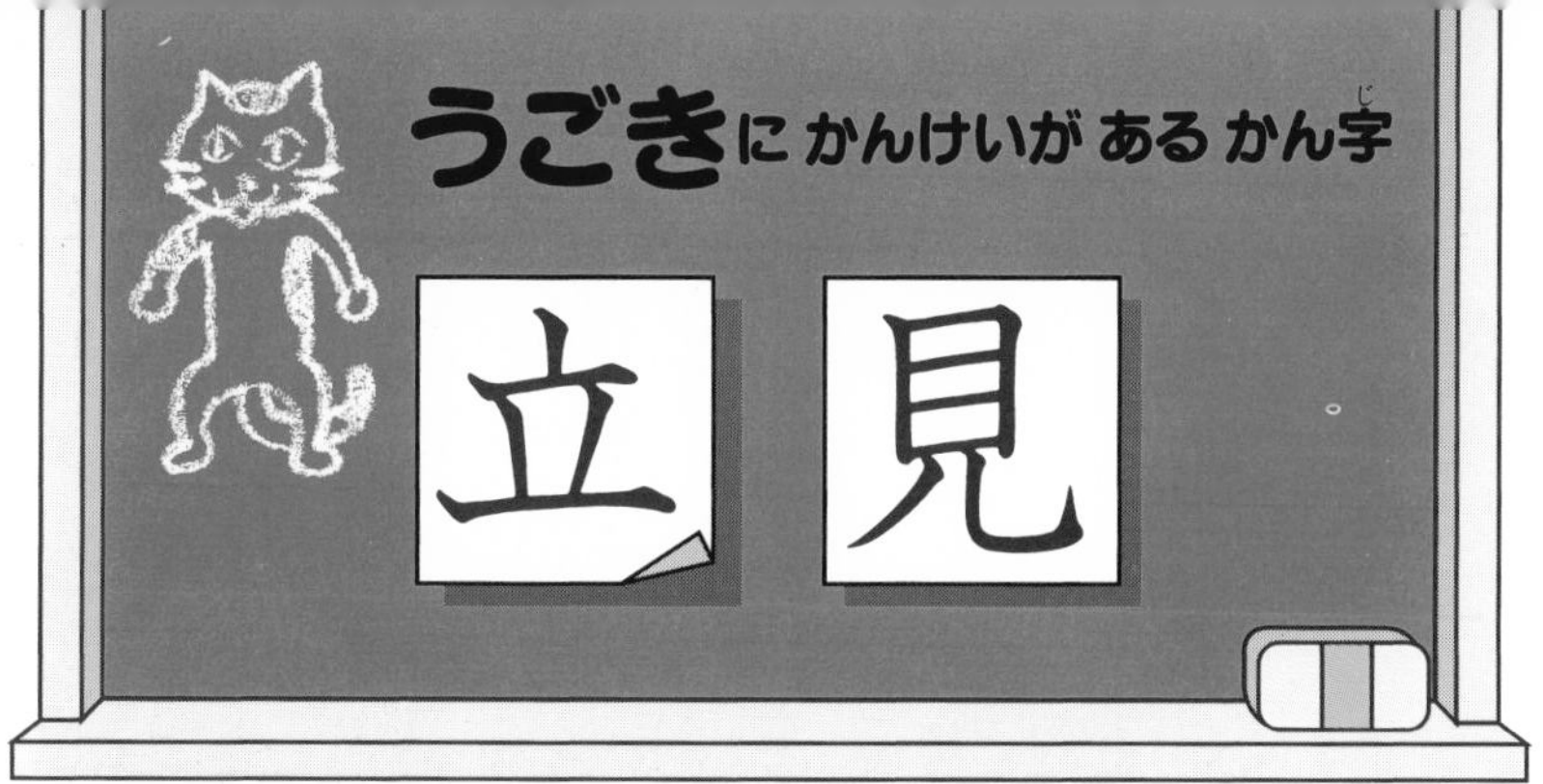

あなたは
今日 学校に
プラモデルを
もってきましたね

ぼくは
しっかり
見たでしょう!

立
見

え——っ
どんなの
見せて
見せて!
まるちゃん
…………

これだよ!
でも これ
プラモデルじゃ
ないよ

ジャーン

おーっ
すげえ
ブー!
おれにも
見せて
あたしにも
見せて
ガタ
ガタ
ガタ
一人で
組み立て
たのか?

はい みなさん
かっ手に せきを
立たないで
ください!
せきに
もどって
もどって!

永沢くん 学校に
そんなものを もって
きては いけません
いくら
みんなに
見せびらかしたく
てもね
フフッ

立
見

べつに 見せびらかす ために もって きたんじゃないよ
じゃあ 何で ですか?
バンッ

これ… きのう わすれた 夏休みの 工作だよ
しゅくだい もってきちゃ いけないの?
ニヤッ

ガ〜〜ン
しゅ…… しゅくだい!?

それは もってきた方が いいでしょう
みんなから つめたい目で 見られ かんぜんに 立場のない 丸尾であった
ジ〜〜

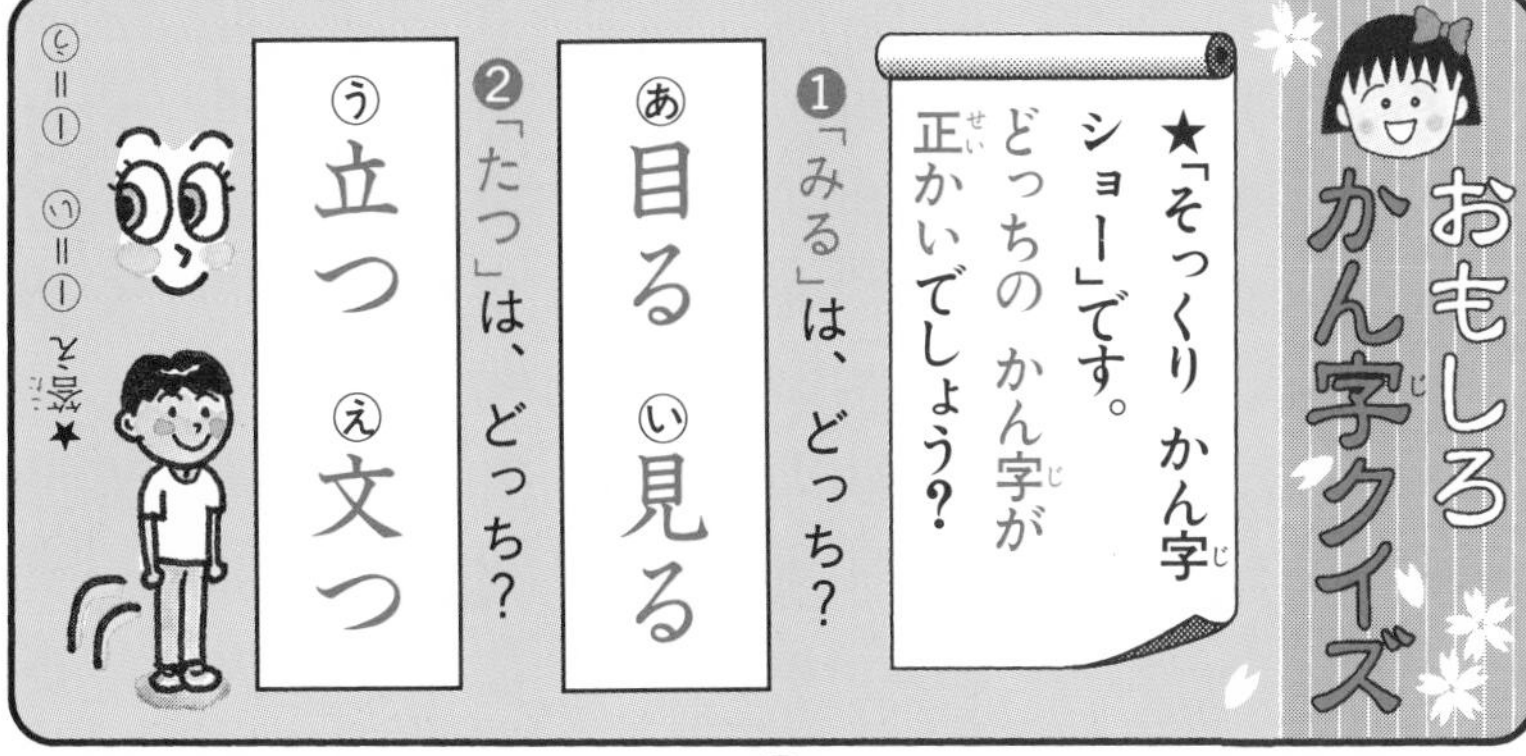
おもしろかん字クイズ
★「そっくり かん字ショー」です。どっちの かん字が 正かいでしょう?
❶「みる」は、どっち?
あ 目る　い 見る
❷「たつ」は、どっち?
う 立つ　え 文つ
★答え ❶=い ❷=う

立
見

おん リツ

くん たつ・たてる

ぶしゅ 立●たつ

なりたち

人が 立って いる すがたを あらわした 字で ございます

立 ➡ 立

いみとことば 1

たつ。たてる。たちあがる。

立ち木・木立・立ち話・直立

立食・立てふだ・き（起）立

「まる子、立った まま、おやつを 食べるんじゃ、ありません。」

「夏休みの 計画だけは、しっかり 立てたんだけどなあ。」

「花だんに 入っちゃ だめって、立てふだに 書いて あるよ。」

「うちの 立食パーティーに 来て くれるかい、さくらくん？」

いみとことば 2

つくる こと。

国立・市立・そう（創）立

「きのう 市立図書かん（館）で、本を かりて きたの。」

「ヒデじいが、国立びょういんに 入いん（院）したって、本当か？」

「今日は、お父さんの 会社の そう（創）立記ねん日よね。」

かきじゅん

5かく

立 立 立 立 立

まめちしき

「立」▶いちばん 上の（ ' ）は、立てて 書き、よこぼうは くっつけ（ 亠 ）ます。

見

おん　ケン

くん　みる・みえる　みせる

ぶしゅ　見●みる

なりたち

人と　人の　目の　形を　あらわして　いるんじゃよ

↓見

いみとことば 1

みる。ながめる。

見学・見ぶつ(物)・花見

月見・立ち見・見はり

「まる子、今ど(度)の　日曜、花見を　するからな。」

「えい画かんが　こんで　いて、ずっと　立ち見だったのよ。」

「来週、ガラス工場を　見学に　行くんだよ。」

「ばあさんや、月見を　するから　だんごを　そなえて　おくれ。」

いみとことば 2

かんがえ。ものの　みかた。

い(意)見・し(私)見・見かい

「自分の　い(意)見を、はっきり　言える　小学生に　なりましょう。」

いみとことば 3

あらわれる。おもてに　でる。

はっ(発)見・ろ見

「ぼくの　ゆめは、新しい　星を　はっ(発)見する　ことさ　ベイビー。」

かきじゅん　7かく

見見見見見見見

まめちしき　「見ぶつ」は、ものを　見て　楽しむ　こと。「見学」は、見て　学ぶ　こと。

かん字なるほどものがたり

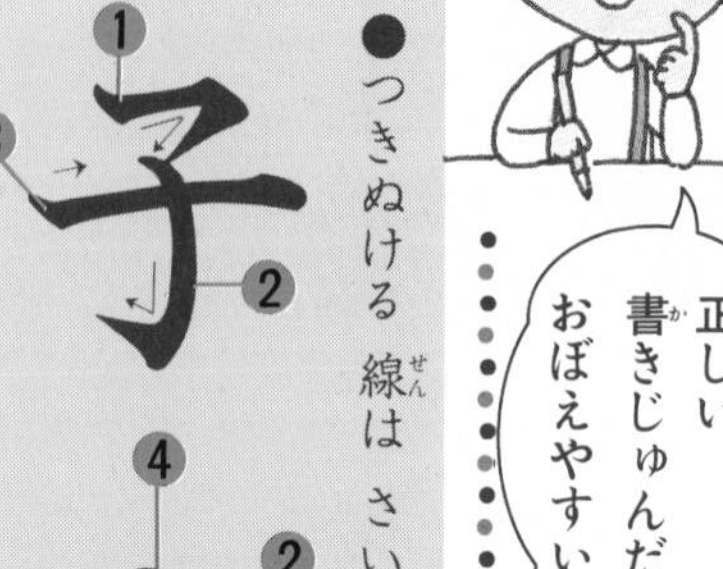

書きじゅんの きまり【その4】

●つきぬける 線は さいごに 書く。

子 ① ② ③

中 ① ② ③ ④

女 女 女

字 字 字 字 字 字

車 車 車 車 車 車 車

●にているけど 書きじゅんが ちがうかん字だよ。おぼえておこう。

右 右 右 右

左 左 左 左

➡書き出しは「右」が 左はらいで、「左」はよこぼうから。どちらも みじかい 方から書き出して いるんだよ。わかったかな？

力 力

九 九

➡「力」は 左はらいを あとに 書き、「九」は 左はらいを 先に 書くんだ。

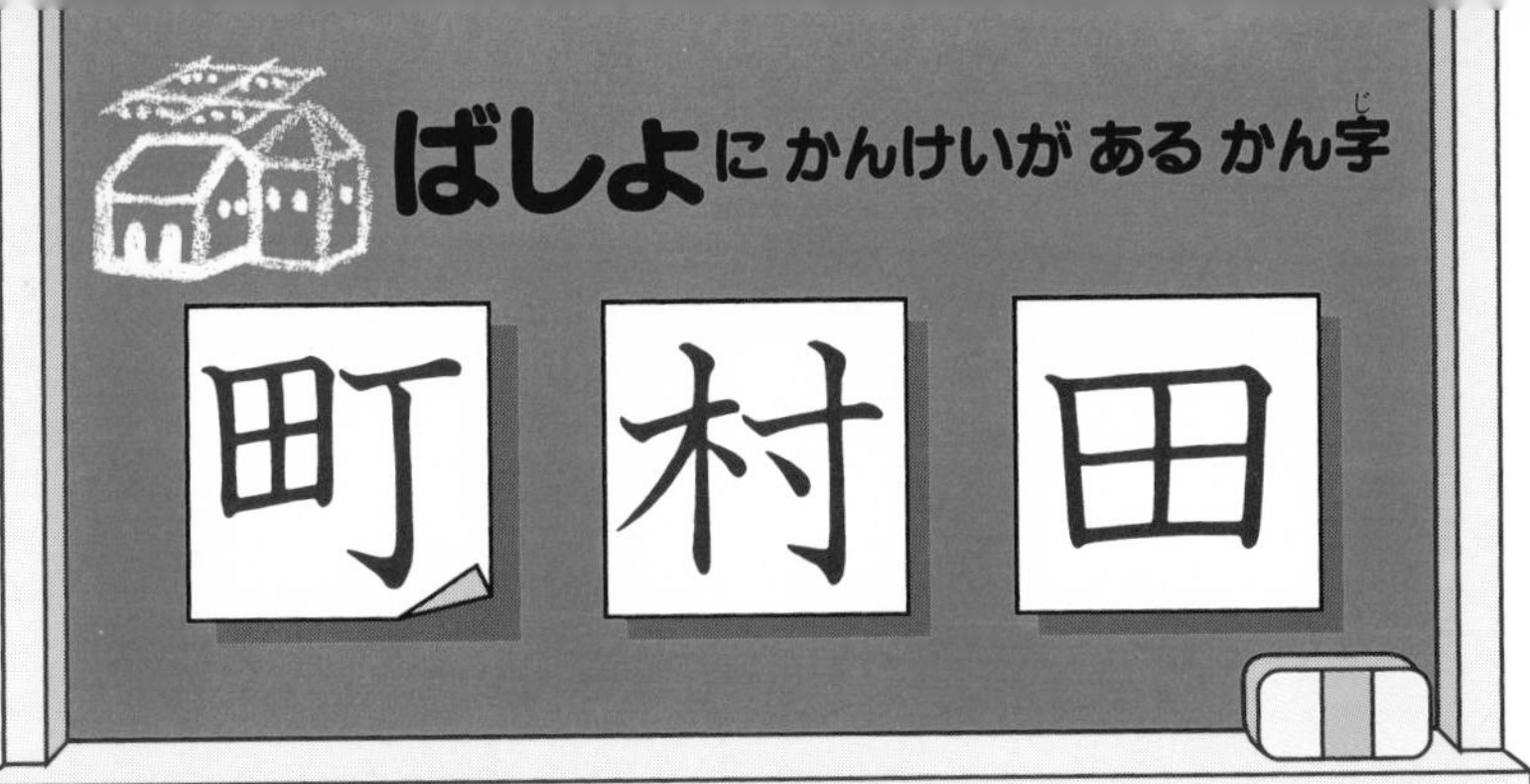
ばしょにかんけいがあるかん字
町
村
田

まるちゃん
おたまじゃくしを
とるのまき
ぽかぽかよう気の春である
どうして田んぼにはおたまじゃくしがいっぱいいるんだろ?
どうしてヒデじい?
田うえをするために水入れした水田にカエルがたまごをうみつけたからでございます

あっ足が生えてるのもいるよ!
まる子と花輪くんはクラスの生きものがかりー

こいつはまじににているよ
はまじはカエルの子ではない

町村田

うわあいるいる!

めだかの大ぐんだよ花輪くん!!

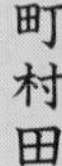

おもしろ
かん字クイズ
★風船と ひもの
先の たんざくを
組み合わせると
何と いう かん字
に なるでしょう？
①
口
②
田
③
木
あ
丁
い
十
う
寸
★答え
①い＝田 ②あ＝町 ③う＝村

このへんは
どじょうが
少ないね
さくらくん
わかった！
こっちが
どじょう村で
あっちは
めだか町
なんだよ
そんな 町や村は
聞いたこともない

バケツが
まっ黒だよ
大りょう
大りょう
あのう おぼっちゃま
クラスの
かんさつ用には
ちょっと 多いかと…

バイバーイ
夏休みに
また
あそぼうね
ドボ
ドボ
町外れに ある
田園風けいは
まる子の 大すきな
場所の 一つで ある──
ブロロロ

町村田

町

おん　チョウ
くん　まち
ぶしゅ　田●たへん

なりたち

𤰈
町

いみとことば 1

ひとが すむ まち。
町内・町角・よこ(横)町
町長・じょう(城)下町

「町の 公園に、ジャングルジムが できたでしょう。」

「あしたは、町内の おまつりだよ。子どもみこし、楽しみだなあ。」

「あいさつしてる あの 人が、うちの 町の 町長さんじゃよ。」

「町外れの 空き地を、たんけんしに 行こう。」

「そこの よこ(横)町で、かわいい ねこを 見かけたのよ。」

「みなと(港)町で、大きな 船を 見学して きたブー。」

「百円 ひろったので、町角の 交番に とどけて きたよ。」

「日本には、ぜんぶで いくつ 市町村が あるのかな。」

かきじゅん

7かく

町 町 町 町 町 町 町

まめちしき　「町」の 左がわは、「田」。「日」や「目」と まちがわないでね。

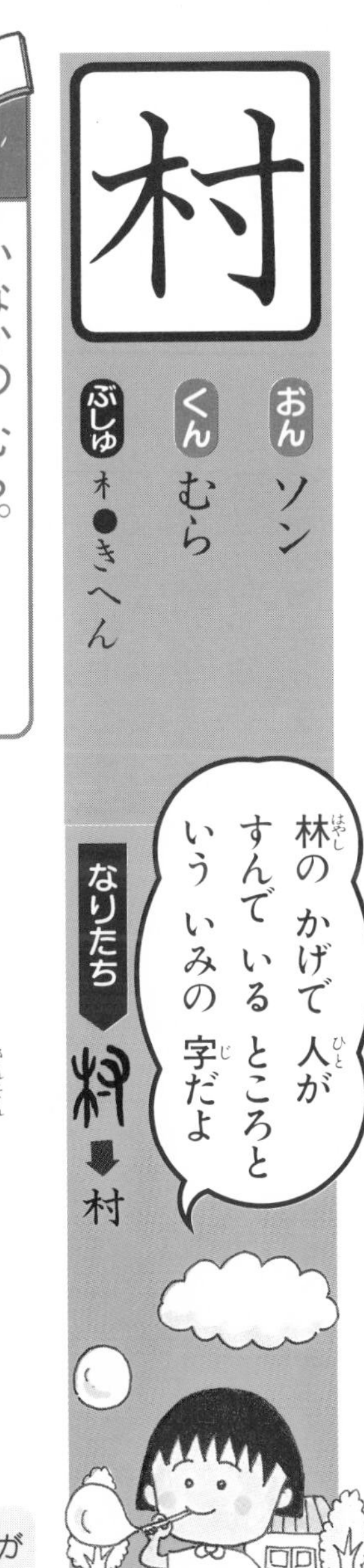

村

おん　ソン

くん　むら

ぶしゅ　木　きへん

なりたち

いみと ことば 1

いなかの むら。

山村・村里・のう(農)村

ぎょ(漁)村・村長・村外れ

「ちょっと、のう(農)村の くらしも 体けん(験)して みたいでしょう。」

「南の しま(島)の 小さな 村で、かわいい 少女と 出会ったんだ。」

「今日は、遠くの 村まで、つりに 行くぞ。」

「しんせきの おじさんは、ぎょ(漁)村に すんで いるんだ。」

「この 山村は、のどかで いい ところじゃのう。」

「山に かこまれた しずかな 村里は、まるで 絵の ようだね。」

「ふえと たいこが 鳴りひびいて、村まつりって、楽しそうだ。」

「村外れに ある おじぞうさん、永沢くんに にてるんじゃない?」

かきじゅん

7かく

村 村 村 村 村 村 村

まめちしき　「のう村」▶すんで いる 人たちが のうぎょうで くらしている 村。

田

おん　デン

くん　た

ぶしゅ　田●た

なりたち

きれいに 四角く
くぎられた 田んぼを
あらわして いるブー

いみとことば 1

いねを そだてる ところ。たんぼ。

田・田んぼ・水田・田うえ
田園・田地・青田

「田んぼの 土手に、つくしを つみに 行ったんだよ。」

「まるちゃん、見て。田うえを して いるよ。」

「田園とは、田はたが 広がる のどかな いなかの ことです。」

「なんと まあ、みごとな 水田じゃのう。」

いみとことば 2

ものが とれる ところ。

ゆ(油)田・えん(塩)田

「青田って いうのは、まだ みのって いない 田の ことさ。」

「ゆ(油)田を ほり当てたら、大金もちに なれるでしょう。」

「しお(塩)を 作る 田んぼを、えん(塩)田と 言います。」

かきじゅん

5かく

田 田 田 田 田

まめちしき

「田うえ」▶いねの なえを 田んぼに うえる こと。 みの(実)ると お米に なるんだよ。

そのほかのかん字
糸
車
音
早

まるちゃん 糸まき車で
あそぶのまき
日曜日めずらしく早おきしたまる子である
「早おきは三文のとく」*って言うからね
今日はきっといいことがあるよ

＊早おきは 三文の とく＝早おきは 体に よいし とくする ことが 多いと いう いみ。

あっ
それ 何？
おう
まる子
カタ カタ カタ
糸まき車じゃよ
糸まき車？

おじいちゃんが子どもの ころにあそんだおもちゃじゃ
糸まきとわりばしとわゴムで作るんじゃよ
2センチぐらいに切ったわりばし
わゴムをまく
わりばし一本
【上から見た絵】
へえ

ひまなんでちょっと 作ってみたんじゃ
車と 言ってもちょっとしかうごかんがな

へえ…でも しずかでやさしい音だね
そうか
カタ カタ カタ…

糸車音早

＊たわむる＝「あそぶ」と いう いみの 古い ことば。

糸

おん シ

くん いと

ぶしゅ 糸●いと

なりたち

↓糸

いみとことば 1

いと。

毛糸・たこ糸・糸電話

糸まき・つり糸・きぬ糸

「今日は、さむいから、毛糸の セーターを きて 行きなさい。」

「あれ？ つり糸が からまっちゃったよ。」

「へえ、きぬ糸って、かいこの まゆから 作るんだ。」

「どうだい、この糸電話、よく できて いるだろう。」

いみとことば 2

いとの ように ほそい もの。

くもの 糸・なっとうの 糸

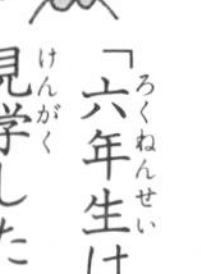

「六年生は、せい(製)糸工場を 見学したのよ。」

「見て。 くもが 糸を 引いて す(巣)を 作って いるよ。」

「まる子、なっとうは、この 糸を 引く ところが いいんじゃ。」

かきじゅん

6かく

まめちしき 「糸」▶1画目の「おれ」と 2画目の「おれ」は、おれた あとの むきが ちょっと ちがいます。

車

おん　シャ
くん　くるま
ぶしゅ　車●くるま

いみと ことば 1

くるまを つかった のりもの。

電車(でんしゃ)・自(じ)どう車(しゃ)・自(じ)てん車(しゃ)
三りん車(しゃ)・うば車(ぐるま)・車(くるま)いす

「一人(ひとり)で 電車(でんしゃ)に の(乗)ると、ちょっと どきどきするよな。」

「自(じ)てん車(しゃ)に の(乗)れるように、とっくんしたんだよ。」

「自(じ)どう車(しゃ)の うんてんなら、ヒデじいが 一番(いちばん)さ。」

「せん車(しゃ)の プラモデルが、やっと できあがったよ。」

なりたち

⬇
車

いみと ことば 2

まわる まるい わ。くるま。

風車(ふうしゃ)(風車(かざぐるま))・水車(すいしゃ)・は(歯)車(ぐるま)

「うば車(ぐるま)の 中(なか)で、赤(あか)ちゃんも 気(き)もち よさそうねえ。」

「今日(きょう)の 理科(りか)の じゅぎょうは、風車(かざぐるま)を 作(つく)ります。」

「は(歯)車(ぐるま)が かみ合(あ)って ないから、走(はし)らないんだよ。」

かき じゅん

7かく

まめちしき
「この道(みち)は 車(くるま)が 多(おお)い」の ように、車(くるま)＝自(じ)どう車(しゃ)の いみも あるよ。

音

おん　オン・イン㊥
くん　おと・ね
ぶしゅ　音●おと
※㊥は、中学でならう読み。

なりたち

↓
音

口に 何かを 入れて 音を 出す ようすを あらわしてるのよ

いみとことば 1

みみに きこえる ひびき。おと。

足音・雨音・音色・音楽
ざつ音・虫の 音・ふえの 音

「こん(今)度 ぼくんちで、音楽会を やるんだけど、来ないかいベイビー。」

「一人で いると、ちょっとした もの(物)音にも びくっと するよ。」

「虫の 音も、たくさん いすぎると うるさいだけだねえ。」

「ぼくんちの テレビは、ざつ音が ひどいんだよ。」

いみとことば 2

こえ。

音読・はつ(発)音・弱音

「声を 出して 本を 読む ことを 音読と 言うんじゃよ。」

「花輪くんの えい(英)語の はつ(発)音は、うまいよなあ。」

「山根くん、弱音を はかずに がんばりましょう。」

かきじゅん

9かく

音 音 音 音 音 音 音 音 音

まめちしき　「音」▶ 2画目は、みじかく、5画目は、長めに 書くのが ポイント。

早

おん　ソウ・サッ㊥

くん　はやい　はやまる　はやめる

ぶしゅ　日●ひ

※㊥は、中学でならう読み。

なりたち

いみとことば 1

ある　じかんよりも　まえ。はやい。

早ね・早おき・早朝・早春

「まる子が、　早おきするなんて、
めずらしい　ことが　あるもんだ。」

「早朝の　さん歩は、
気もちが　いいもんじゃよ。」

「あそんで　いると、　時間が
早く　すぎる　気が　するよ。」

「カゼを　ひいたから、
今日は、　早引けするブー。」

いみとことば 2

いそいで　する。はやく　する。

早足・足早・早口・早耳

「夜道を　一人で　歩くと、
こわいから　早足に　なるね。」

「早口言ば（葉）は、
にが手なんだよなあ。」

「早のみこみして、　また
しっぱいしちゃったよ。」

かきじゅん

6かく

早　早　早　早　早　早

まめちしき

ことばの　いみ▶「早春」とは、冬から春へ、きせつが　かわる　ころの　こと。

そっくりかん字(じ)ショー!!

にている
かん字(じ)が こんなに
あったよ

かん字	おん読み	くん読み
見	ケン	みる
貝		かい
木	ボク・モク	き・こ
本	ホン	もと
先	セン	さき
生	セイ・ショウ	いきる・うまれる
十	ジュウ・ジッ	とお・と
千	セン	ち
入	ニュウ	いる・はいる
人	ジン・ニン	ひと
日	ニチ・ジツ	ひ・か
月	ゲツ・ガツ	つき
林	リン	はやし
村	ソン	むら
左	サ	ひだり
右	ウ・ユウ	みぎ
王	オウ	
玉	ギョク	たま
目	モク	め
耳		みみ
白	ハク	しろ・しら
百	ヒャク	
早	ソウ	はやい
草	ソウ	くさ
大	ダイ・タイ	おおきい
犬	ケン	いぬ
中	チュウ	なか
虫	チュウ	むし
字	ジ	
学	ガク	まなぶ
文	ブン・モン	
立	リツ	たつ

●にている かん字(じ)は いっしょに おぼえましょう。

※ふりがなの カタカナは「おん読(よ)み」、ひらがなは「くん読(よ)み」です。

二年生で ならう かん字

（にねんせい／じ）

ここからは 二年生で ならう かん字

（●音読み・アイウエオ順）

引・羽・雲・園・遠・何……186
科・夏・家・歌・画・回……187
会・海・絵・外・角・楽……188
活・間・丸・岩・顔・汽……189
記・帰・弓・牛・魚・京……190
強・教・近・兄・形・計……191
元・言・原・戸・古・午……192
後・語・工・公・広・交……193
光・考・行・高・黄・合……194
谷・国・黒・今・才・細……195
作・算・止・市・矢・姉……196
思・紙・寺・自・時・室……197
社・弱・首・秋・週・春……198
書・少・場・色・食・心……199

新・親・図・数・西・声……200
星・晴・切・雪・船・線……201
前・組・走・多・太・体……202
台・地・池・知・茶・昼……203
長・鳥・朝・直・通・弟……204
店・点・電・刀・冬・当……205
東・答・頭・同・道・読……206
内・南・肉・馬・売・買……207
麦・半・番・父・風・分……208
聞・米・歩・母・方・北……209
毎・妹・万・明・鳴・毛……210
門・夜・野・友・用・曜……211
来・里・理・話……212

引

4かく

おん　イン
くん　ひく　ひける
ぶしゅ　ゆみへん●弓

引引引引

いみと ことば　①ひく。ひっぱる。引力（いんりょく）・つな引（ひ）き・引（ひ）き算（ざん）　②みちびく。引火（いんか）・引（いん）そつ（率）・引（いん）用（よう）　③しりぞく。引（ひ）きしお（潮）

園

13かく

おん　エン
くん　その㊥
ぶしゅ　くにがまえ●囗

園園園園園園園園園園園園園

いみと ことば　①くぎられた　ところ。公園（こうえん）・てい（庭）園（えん）　②ひとが　あつまる　ところ。学園（がくえん）・楽園（らくえん）

羽

6かく

おん　ウ㊥
くん　は　はね
ぶしゅ　はね●羽

羽羽羽羽羽羽

いみと ことば　①はね。つばさ。羽（う）毛（もう）・羽音（はおと）・羽（は）ごろも（衣）・羽（は）ぶとん　②とりや　うさぎを　かぞえる　たんい。一羽（いちわ）・二羽（にわ）・三羽（さんば）

遠

13かく

おん　エン
くん　とおい
ぶしゅ　しんにょう●辶

遠遠遠遠遠遠遠遠遠遠遠遠遠

いみと ことば　①はなれている。とおい。遠近（えんきん）・遠回（とおまわ）り　②したしく　ない。とおざける。けい（敬）遠（えん）

雲

12かく

おん　ウン
くん　くも
ぶしゅ　あめかんむり●雨

雲雲雲雲雲雲雲雲雲雲雲雲

いみと ことば　①そらに　うかぶ　くも。いわし雲（ぐも）・うろこ雲（ぐも）・さば雲（ぐも）・雨雲（あまぐも）・白雲（しらくも）・黒雲（くろくも）・入道雲（にゅうどうぐも）

何

7かく

おん　カ㊥
くん　なに　なん
ぶしゅ　にんべん●亻

何何何何何何何

いみと ことば　①なに。どうして。どのくらい。（わからないことを　たずねる　ことば）何（なに）ごと（事）・何（なに）もの（者）・何回（なんかい）・何時（なんじ）・何点（なんてん）

＊㊥は、中学（ちゅうがく）で　ならう　読（よ）みです。

科

おん　カ
くん　——

9かく
ぶしゅ　のぎへん●禾

科科科科科科科科科

いみと ことば
①くわけしたものを あらわす ことば。科目(かもく)・学科(がっか)・理科(りか)・社会科(しゃかいか)・教科書(きょうかしょ)・内科(ないか)・外科(げか)
②つみ。とが。前科(ぜんか)

夏

おん　カ・ゲ(中)
くん　なつ

10かく
ぶしゅ　すいにょう●夊

夏夏夏夏夏夏夏夏夏夏

いみと ことば
①しきの うちの ひとつ。なつ。夏休(なつやす)み・夏山(なつやま)・夏(なつ)まつ(祭)り・夏草(なつくさ)・しょ(初)夏(か)

家

おん　カ・ケ
くん　いえ・や

10かく
ぶしゅ　うかんむり●宀

家家家家家家家家家家

いみと ことば
①いえ。うち。たてもの。家(か)おく(屋)・家(か)ぞく(族)
②せんもんの ひと。音楽家(おんがくか)

歌

おん　カ
くん　うた　うたう

14かく
ぶしゅ　あくび●欠

歌歌歌歌歌歌歌歌歌歌歌歌歌歌

いみと ことば
①うた。うたうこと。歌声(うたごえ)・歌手(かしゅ)・校歌(こうか)・わ(和)歌(か)・たん(短)歌(か)・歌しゅう(集)

画

おん　ガ・カク
くん　——

8かく
ぶしゅ　た●田

画画画画画画画画

いみと ことば
①え。ずが。図画(ずが)・絵画(かいが)・画家(がか)
②くぎり。く(区)画(かく)
③けいかく。計画(けいかく)
④もじの せんや てん。字画(じかく)・画数(かくすう)

回

おん　カイ
くん　まわる　まわす

6かく
ぶしゅ　くにがまえ●囗

回回回回回回

いみと ことば
①まわる。まわす。回(かい)てん(転)・回(かい)らん(覧)
②もとに もどる。回(かい)ふく(復)
③かいすう。回数(かいすう)・一回(いっかい)・十回(じっかい)・百回(ひゃっかい)

会

おん カイ
くん あう
ぶしゅ ひとがしら●人
6かく

会会会会会会

いみと ことば
①あう。であう。会見・めん(面)会・会食 ②ひとのあつまり。うんどう(運動)会・音楽会・会ぎ(議)

海

おん カイ
くん うみ
ぶしゅ さんずい●氵
9かく

海海海海海海海海海

いみと ことば
①うみ。海外・海草・海上・日本海・海がん(岸)・海てい(底)・大海・海水・海めん(面)・海よう(洋)・こう(航)海

絵

おん カイ・エ
くん ――
ぶしゅ いとへん●糸
12かく

絵絵絵絵絵絵絵絵絵絵絵絵

いみと ことば
①え。えがいたもの。絵本・絵日記・絵はがき

おぼえて おこう
「エ」は音読みです。

外

おん ガイ・ゲ㊥
くん そと・ほか
はずす・はずれる
ぶしゅ ゆう●夕
5かく

外外外外外

いみと ことば
①そと。そとがわ。外気・外見・外食・外出・場外 ②よそ。外国・外地・外米・外来 ③はずれる。はずす。じょ(除)外

角

おん カク
くん かど
つの
ぶしゅ つの●角
7かく

角角角角角角角

いみと ことば
①かど。すみ。方角・四つ角・角ど(度) ②しかくい。かくばった。角ざい(材)・角ざとう(砂糖) ③つの。角ぶえ(笛)・頭角

楽

おん ガク・ラク
くん たのしい
たのしむ
ぶしゅ き●木
13かく

楽楽楽楽楽楽楽楽楽楽楽楽楽

いみと ことば
①たのしい。楽園 ②こころよい。気楽 ③たやすい。楽しょう(勝) ④おんがく。楽き(器)

活

9かく

おん カツ
くん ―
ぶしゅ さんずい●氵

活活活活活活活活活

いみと ことば ①いきる。いかす。生活・活用 ②いきいきとして いる。さかんに うごく。活気・活どう(動)・活力・活ぱつ(発)

間

12かく

おん カン・ケン
くん あいだ・ま
ぶしゅ もんがまえ●門

間間間間間間間間間間間間

いみと ことば ①あいだ。空間・時間・一年間・一週間 ②へや。へやの かずの たんい。一間

丸

3かく

おん ガン
くん まる・まるい・まるめる
ぶしゅ てん●丶

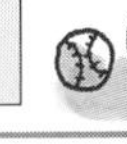

丸丸丸

いみと ことば ①まる。まるいもの。丸太・丸やく(薬)・日の丸・ほう丸な(投)げ ②ぜんぶ。丸一年・丸あん(暗)記・丸や(焼)き

岩

8かく

おん ガン
くん いわ
ぶしゅ やま●山

岩岩岩岩岩岩岩岩

いみと ことば ①おおきな いし。いわ。岩山・岩石・岩場・岩かげ・岩えん(塩)・よう岩・石かい(灰)岩・火せい(成)岩・岩ぺき

顔

18かく

おん ガン
くん かお
ぶしゅ おおがい●頁

顔顔顔顔顔顔顔顔顔顔顔顔顔顔顔顔顔顔

いみと ことば ①かお。かおつき。顔色(がんしょく)・顔立ち・顔めん(面)・え(笑)顔・な(泣)き顔

汽

7かく

おん キ
くん ―
ぶしゅ さんずい●氵

汽汽汽汽汽汽汽

いみと ことば ①ゆげ。じょうき。汽車・汽船・汽てき(笛)

おぼえて おこう 「すいじょうき」は「水じょう(蒸)気」です。

記

10かく

おん キ
くん しるす
ぶしゅ ごんべん●言

記記記記記記記記記記
記

いみと ことば ①かきとめる。かく。かいたもの。記入・日記 ②おぼえている。あん(暗)記・記おく

帰

10かく

おん キ
くん かえる
かえす
ぶしゅ はば●巾

帰帰帰帰帰帰帰帰帰帰
帰

いみと ことば ①かえる。もどる。帰り道・行き帰り・里帰り・帰国・帰たく(宅)・帰きょう(郷)

弓

3かく

おん キュウ㊥
くん ゆみ
ぶしゅ ゆみ●弓

弓弓弓

いみと ことば ①やを いる どうぐ。ゆみ。ゆみや。弓矢・弓道・弓とりしき(取式) ②ゆみの ような かたち。弓形(きゅうけい)

牛

4かく

おん ギュウ
くん うし
ぶしゅ うし●牛

牛牛牛牛

いみと ことば ①どうぶつの うし。子牛・母牛・牛にゅう(乳)・牛肉・牛小や(屋)・牛しゃ(舎)・水牛・野牛・牛馬・牛ひ(皮)

魚

11かく

おん ギョ
くん うお
さかな
ぶしゅ うお●魚

魚魚魚魚魚魚魚魚魚魚魚
魚魚

いみと ことば ①さかな。ぎょるい。小魚・金魚・魚るい(類)・人魚・魚つり・魚市場・魚や(屋)

京

8かく

おん キョウ
ケイ㊥
くん ——
ぶしゅ なべぶた●亠

京京京京京京京京

いみと ことば ①くにの ちゅうしんに なる とし。みやこ。上京・帰京 ②とうきょう。京よう(葉)道ろ(路) ③きょうと。京人形

強

11かく

おん キョウ・ゴウ㊥

くん つよい・つよまる つよめる・しいる㊥

ぶしゅ ゆみへん●弓

強強強強強強強強強強強

いみと ことば ①つよい。強気・強弱・強てき(敵)・強か(化) ②むりに する。強せい(制)・強行

教

11かく

おん キョウ

くん おしえる おそわる

ぶしゅ ぼくにょう●攵

教教教教教教教教教教教

いみと ことば ①おしえる。教いく(育)・教室 ②かみや ほとけの おしえ。教会・しゅう(宗)教

近

7かく

おん キン

くん ちかい

ぶしゅ しんにょう●辶

近近近近近近近

いみと ことば ①ちかい。ちかづく。近じょ(所)・近海・近道・近ぺん(辺)・せっ(接)近・近日・近年・近ごろ・近親・み(身)近

兄

5かく

おん キョウ ケイ㊥

くん あに

ぶしゅ にんにょう●儿

兄兄兄兄兄

いみと ことば ①としうえの おとこきょうだい。あに。にいさん。兄弟(けいてい)・じっ(実)兄・父兄

とくべつな よみかた 「兄さん」

形

7かく

おん ケイ・ギョウ

くん かた・かたち

ぶしゅ さんづくり●彡

形形形形形形形

いみと ことば ①かたち。ようす。顔形・人形・外形・地形・図形・円形・三角形・四角形・形しき(式)・形見・形そう(相)

計

9かく

おん ケイ

くん はかる はからう

ぶしゅ ごんべん●言

計計計計計計計計計

いみと ことば ①かぞえる。計算・合計・しゅう(集)計・会計 ②はかるための どうぐ。時計・風力計 ③かんがえ。計画

元

4かく

おん ゲン　ガン

くん もと

ぶしゅ にんにょう●儿

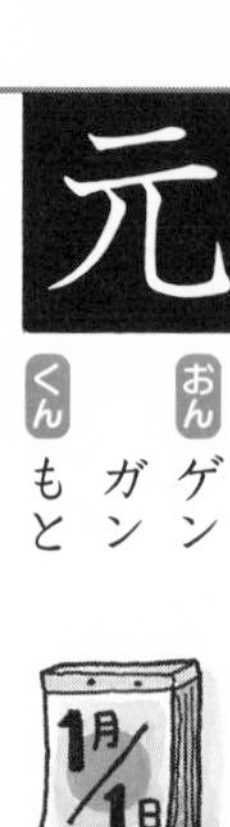

元元元元

いみと ことば ①ものごとの はじめ。元日・元年 ②おこる ところ。もと。ね(根)元・元手・元金 ③おさめる ひと。かしら。元首

言

7かく

おん ゲン・ゴン

くん いう・こと

ぶしゅ いう●言

言言言言言言言

いみと ことば ①いう。はなす。言いわけ(訳)・言明・言ろん(論)・た(他)言・言い分・言語・方言・名言・小言 ②ことば。

原

10かく

おん ゲン

くん はら

ぶしゅ がんだれ●厂

原原原原原原原原原原

いみと ことば ①はらっぱ。のはら。高原・草原・野原・原っぱ・平原 ②ものごとの もと。原形

戸

4かく

おん コ

くん と

ぶしゅ とかんむり●戸

戸戸戸戸

いみと ことば ①と。とびら。戸口・雨戸・ガラス戸・戸だな・木戸 ②いえ。いえを かぞえる たんい。一戸だ(建)て・戸数

古

5かく

おん コ

くん ふるい　ふるす

ぶしゅ くち●口

古古古古古

いみと ことば ①ふるい。ふるびた。古ぎ(着)・古新聞・古本・古木・中古車 ②むかし。古と(都)・古だい(代)・古てん(典)・古風

午

4かく

おん ゴ

くん ――

ぶしゅ じゅう●十

午午午午

いみと ことば ①ひるの じゅうに じ。正午・午前・午後 ②ほうがくの みなみ。まみなみ。子午線

ちゅうい 「牛」とまちがえない こと。

後

9かく

おん ゴ・コウ
くん のち・うしろ
あと・おくれる㊥
ぶしゅ ぎょうにんべん●彳

後後後後後後後後後

いみと ことば ①うしろ。後方(こうほう)・後(こう)れつ(列)・後(こう)たい(退) ②あと。のち。後日(ごじつ)・午後(ごご)・食後(しょくご)・今後(こんご) ③おくれる。気後(きおく)れ・後手(ごて)

語

14かく

おん ゴ
くん かたる
かたらう
ぶしゅ ごんべん●言

語語語語語語語語語語語語語語

いみと ことば ①はなす。かたる。語気(ごき)・もの(物)語(がたり)・語(かた)らい・し(私)語(ご) ②ことば。言語(げんご)・国語(こくご)

工

3かく

おん コウ
ク
くん ——
ぶしゅ こう・たくみ●工

工工工

いみと ことば ①ものを つくる こと。工作(こうさく)・工(こう)じ(事)・工場(こうじょう)(こうば)・図工(ずこう)・工(く)ふう(夫)・細工(さいく) ②ものを つくる ひと。大工(だいく)・名工(めいこう)

公

4かく

おん コウ
くん おおやけ㊥
ぶしゅ はちがしら●八

公公公公

いみと ことば ①みんなに かんけいする こと。公(こう)きょう(共)・公(こう)かい(開) ②おおやけ。公立(こうりつ)・公用(こうよう) ③かたよらない。公平(こうへい)

広

5かく

おん コウ
くん ひろい・ひろまる
ひろめる・ひろがる
ひろげる
ぶしゅ まだれ●广

広広広広広

いみと ことば ①ひろい。ひろびろとした。広場(ひろば)・広大(こうだい)・広野(こうや)(ひろの) ②みんなに しらせる。ひろめる。広(こう)こく(告)・広(こう)ほう(報)

交

6かく

おん コウ
くん まじわる・まじえる
まじる・まざる・まぜる
かう㊥・かわす㊥
ぶしゅ なべぶた●亠

交交交交交交

いみと ことば ①つきあう。交(こう)さい(際)・外交(がいこう)・ぜっ(絶)交(こう) ②たがいに いりくむ。交通(こうつう)・交(こう)さ(差)点(てん) ③とりかえる。交(こう)たい(代)

光

おん コウ
くん ひかる
ひかり
ぶしゅ にんにょう●儿

6かく

光光光光光光

いみと ことば ①ひかり。ひかる。日光・月光・はっ(発)光・夜光 ②けしき。光けい(景)・かん(観)光 ③ほまれ。えい(栄)光

考

おん コウ
くん かんがえる
ぶしゅ おいかんむり●耂

6かく

考考考考考考

いみと ことば ①かんがえる。思考・考あん(案)・考さつ(察)・せん(選)考 ②しらべる。考古学・さん(参)考・考さ(査)・び(備)考

行

おん コウ・ギョウ
くん いく・ゆく
おこなう
ぶしゅ ゆきがまえ●行

6かく

行行行行行行

いみと ことば ①いく。ゆく。行しん(進)・りょ(旅)行 ②れつ。ならび。行れつ(列)・かい(改)行 ③おこない。行どう(動)・じっ(実)行

高

おん コウ
くん たかい・たか
たかまる・たかめる
ぶしゅ たかい●高

10かく

高高高高高高高高高
高

いみと ことば ①たかい。高山 ②すぐれている。高きゅう(級) ③ものや おかねの りょう。生さん(産)高

黄

おん コウ㊥
オウ
くん き・こ㊥
ぶしゅ き●黄

11かく

黄黄黄黄黄黄黄黄黄
黄黄

いみと ことば ①いろの き。きいろ。黄色・黄ばむ・黄みどり(緑)・らん(卵)黄・黄み(身)・黄土色

合

おん ゴウ・ガッ・カッ
くん あう・あわす
あわせる
ぶしゅ くち●口

6かく

合合合合合合

いみと ことば ①あう。あわせる。合図・会合・合計・合しょう(唱)・合せん(戦)・話し合い ②じゅうぶんの いち。五合目

谷

7かく

おん コク㊥
くん たに
ぶしゅ たに●谷

谷谷谷谷谷谷谷

いみと ことば ①やまと やまの あいだの くぼんだ ばしょ。たに。谷川・谷間（たにあい）・谷そこ（底）・けい谷・きょう谷

今

4かく

おん コン キン㊥
くん いま
ぶしゅ ひとがしら●人

今今今今

いみと ことば ①いま。げんざい。今後・今時・今日（こんにち）②このたびの。今ど（度）・今朝・今月・今回・今週

国

8かく

おん コク
くん くに
ぶしゅ くにがまえ●口

国国国国国国国国

いみと ことば ①くに。国土・国家・日本国・外国・母国語・国王・国みん（民）②ふるさと。国元 ③ちいき。雪国・北国・南国

才

3かく

おん サイ
くん ―
ぶしゅ て●手

才才才

いみと ことば ①うまれつき もっている のうりょく。さいのう。天才・才のう（能）②としを かぞえる ことば。五才・百才

黒

11かく

おん コク
くん くろ くろい
ぶしゅ くろ●黒

黒黒黒黒黒黒黒黒黒黒黒

いみと ことば ①いろの くろ。くろい。黒星・黒ばん（板）・黒点 ②わるいこと。はら（腹）黒い

細

11かく

おん サイ
くん ほそい・ほそる こまか・こまかい
ぶしゅ いとへん●糸

細細細細細細細細細細細

いみと ことば ①ほそい。こまかい。細字・細道 ②ちいさい。こまかい。細心・細工 ③くわしい。明細

作

おん サク・サ
くん つくる
ぶしゅ にんべん●亻
7かく

作作作作作作作

いみと ことば ①こしらえる。つくる。作文・作ひん(品)・名作・作きょく(曲) ②ふるまい。おこない。作ぎょう(業)・どう(動)作

算

おん サン
くん ――
ぶしゅ たけかんむり●⺮
14かく

算算算算算算算算算算算算算算

いみと ことば ①かぞえる。計算・足し算・引き算・算数 ②みこみ。かんがえ。しょう(勝)算・公算

止

おん シ
くん とまる・とめる
ぶしゅ とめる●止
4かく

止止止止

いみと ことば ①とまる。とめる。足止め・行き止まり・かゆみ止め・てい(停)止・きん(禁)止・休止 ②やめること。中止

市

おん シ
くん いち
ぶしゅ はば●巾
5かく

市市市市市

いみと ことば ①おおきな まち。と(都)市・市みん(民)・市えい(営)・市立 ②いちば。市場(しじょう)・魚市場・朝市

矢

おん ――
くん や
ぶしゅ や●矢
5かく

矢矢矢矢矢

いみと ことば ①ゆみで とばす どうぐ。や。弓矢・矢じるし(印)・矢車・矢おもて(面)・矢羽・ふき矢・どく(毒)矢・矢じり

姉

おん シ㊥
くん あね
ぶしゅ おんなへん●女
8かく

姉姉姉姉姉姉姉姉

いみと ことば ①としうえの おんなきょうだい。ねえさん。姉妹・姉さま(様)人形・長姉・姉むすめ

とくべつな よみかた 「姉さん」

思

おん シ
くん おもう
9かく
ぶしゅ こころ●心

思思思思思思思思思

いみと ことば ①こころに おもう。かんがえる。思いつき・思い出・思いやり・思いこみ・思考・思あん(案)・思そう(想)・い(意)思

自

おん ジ・シ
くん みずから
6かく
ぶしゅ みずから●自

自自自自自自

いみと ことば ①じぶん。自分・自こ(己)・自た(他)・自でん(伝)・自しん(身) ②ひとりでに。しぜんに。自明・自生・自ぜん(然)

紙

おん シ
くん かみ
10かく
ぶしゅ いとへん●糸

紙紙紙紙紙紙紙紙紙紙

いみと ことば ①かみ。手紙・紙くず・紙しばい・お(折)り紙・半紙 ②しんぶん。日かん(刊)紙

時

おん ジ
くん とき
10かく
ぶしゅ ひへん●日

時時時時時時時時時時

いみと ことば ①じかん。とき。時間・時こく(刻)・同時 ②そのとき。当時・時分・時か(価)

寺

おん ジ
くん てら
6かく
ぶしゅ すん●寸

寺寺寺寺寺寺

いみと ことば ①てら。じいん。お寺・寺いん(院)・山寺・あま寺・寺社・寺子や(屋)・金かく(閣)寺・東大寺・古寺(ふるでら)

室

おん シツ
くん むろ㊥
9かく
ぶしゅ うかんむり●宀

室室室室室室室室室

いみと ことば ①へや。教室・図書室・音楽室・おん(温)室・しょくいん(職員)室・地下室・室内 ②いちぞく。王室・こう(皇)室

社

7かく

おん シャ

くん やしろ

ぶしゅ しめすへん●ネ

社社社社社社社

いみと ことば

①おみや。やしろ。じんじゃ。じん(神)社・大社

②ひとの あつまり。社会・社交

③かいしゃ。社長・入社・出社

弱

10かく

おん ジャク

くん よわい・よわる よわまる・よわめる

ぶしゅ ゆみへん●弓

弱弱弱弱弱弱弱弱弱弱

いみと ことば

①よわい。弱音・弱虫・弱気・弱点・弱しゃ(者)

②としが わかい。弱年・弱小

首

9かく

おん シュ

くん くび

ぶしゅ くび●首

首首首首首首首首首

いみと ことば

①くび。あたま。首すじ・えり首・手首・足首

②はじめ。いちばん。かしら。首い(位)・首と(都)・首しょう(相)

秋

9かく

おん シュウ

くん あき

ぶしゅ のぎへん●禾

秋秋秋秋秋秋秋秋秋

いみと ことば

①しきの うちの ひとつ。あき。秋風・秋分の日・秋まつ(祭)り・秋晴れ・秋雨・しょ(初)秋・ばん(晩)秋

週

11かく

おん シュウ

くん ―

ぶしゅ しんにょう●⻌

週週週週週週週週週週週

いみと ことば

①にちようび から どようびまでの なのかかん。一週間・先週・今週・来週・次週

春

9かく

おん シュン

くん はる

ぶしゅ ひ●日

春春春春春春春春春

いみと ことば

①しきの うちの ひとつ。はる。早春・立春・春分の日

②としの はじめ。新春・はつ(初)春

③わかいころ。青春

書

おん ショ
くん かく
ぶしゅ ひらび●日

10かく

書書書書書書書書書書
書

いみとことば ①かく。かきしるす。 書きぞ(初)め・書記・書道・書もつ(物) ②てがみ や ほん。

少

おん ショウ
くん すくない すこし
ぶしゅ しょう●小

4かく

少少少少

いみとことば ①すくない。すこし。 少数・少少・多少・少食・少りょう(量)・げん(減)少 ②わかい。おさない。 少年・少女・年少

場

おん ジョウ
くん ば
ぶしゅ つちへん●土

12かく

場場場場場場場場場場場場
場場場

いみとことば ①ばしょ。ところ。 場所・広場・魚市場 ②そのとき。 場合 ③くぎり。 場めん(面)

色

おん ショク シキ
くん いろ
ぶしゅ いろ●色

6かく

色色色色色色

いみとことば ①いろ。いろどり。 色合い・原色・色そ(素)・七色・水色 ②ようす。 音色・き(喜)色・とく(特)色・い(異)色

食

おん ショク
くん くう たべる
ぶしゅ しょく●食

9かく

食食食食食食食食食

いみとことば ①たべる。たべもの。 朝食・外食・食ひん(品)・きゅう(給)食 ②たいようや つきが かけること。 月食・日食

心

おん シン
くん こころ
ぶしゅ こころ●心

4かく

心心心心

いみとことば ①こころ。 あん(安)心・本心・心ぱい(配)・用心・けっ(決)心・心理 ②しんぞう。 心音 ③まんなか。 中心

新

13かく

おん シン

くん あたらしい
あらた・にい㊥

ぶしゅ おのづくり●斤

新新新新新新新新新
新新新新

いみと ことば ①あたらしい。新年・新春・新入生・新学き（期）・新人・新聞・新かん（幹）線・新雪

親

16かく

おん シン

くん おや・したしい
したしむ

ぶしゅ みる●見

親親親親親親親親親
親親親親親親親

いみと ことば ①おや。ちち はは。父親・母親・親子 ②しんせき。親るい（類） ③したしい。親友

図

7かく

おん ズ・ト

くん はかる㊥

ぶしゅ くにがまえ●口

図図図図図図図

いみと ことば ①えがく。えがいたもの。図画・図工・図形・天気図・地図・海図・図ひょう（表） ②けいかくする。い（意）図

数

13かく

おん スウ

くん かず
かぞえる

ぶしゅ ぼくにょう●攵

数数数数数数数数数
数数数数

いみと ことば ①かず。かぞえる。数字・点数・回数・人数・算数 ②いくつか。数日・数回・数年

西

6かく

おん セイ
サイ

くん にし

ぶしゅ にし●西

西西西西西西

いみと ことば ①にし。にしのほう。西日・西風・西む（向）き・西方・東西・西ぶ（部）・かん（関）西 ②ヨーロッパ。西よう（洋）

声

7かく

おん セイ

くん こえ
こわ㊥

ぶしゅ さむらい●士

声声声声声声声

いみと ことば ①こえ。歌声・わら（笑）い声・な（泣）き声・大声・小声・音声・はっ（発）声・地声 ②うわさ。ひょうばん。名声

星

9かく

おん セイ・ショウ㊥
くん ほし
ぶしゅ ひ●日

星星星星星星星星星

いみと ことば ①そらの ほし。星空（ほしぞら）・火星（かせい）・木星（もくせい）・土星（どせい）・なが（流）れ星（ぼし）・星（せい）ざ（座）・一番星（いちばんぼし）・星（ほし）まつ（祭）り・人工（じんこう）えい（衛）星（せい）・明星（みょうじょう）

晴

12かく

おん セイ
くん はれる はらす
ぶしゅ ひへん●日

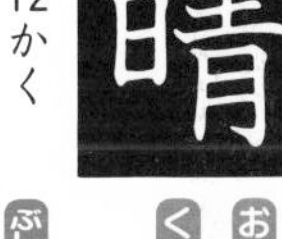
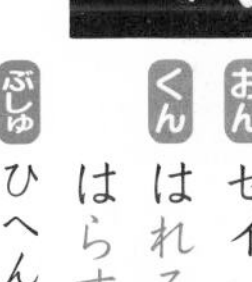

晴晴晴晴晴晴晴晴晴晴晴晴

いみと ことば ①はれる。晴天（せいてん） ②すっきりする。うたが（疑）いが晴（は）れる ③はれがましい。晴（は）れ着（ぎ）

切

4かく

おん セツ・サイ㊥
くん きる きれる
ぶしゅ かたな●刀

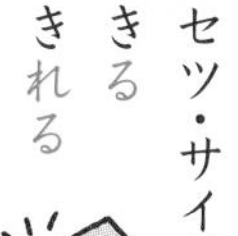

切切切切

いみと ことば ①きる。切手（きって）・切（せつ）だん（断）・切（き）り花（ばな）・切（き）り口（くち） ②ぜひとも。こころから。切（せつ）じつ（実）・親切（しんせつ） ③ぜんぶ。一切（いっさい）

雪

11かく

おん セツ
くん ゆき
ぶしゅ あめかんむり●雨

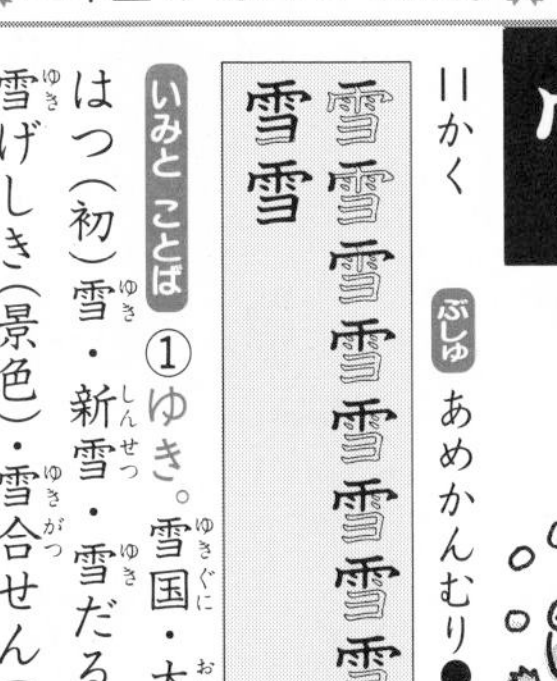

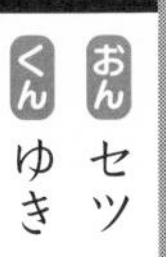
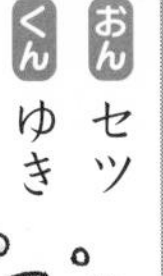

雪雪雪雪雪雪雪雪雪雪雪

いみと ことば ①ゆき。雪国（ゆきぐに）・大雪（おおゆき）・はつ（初）雪（ゆき）・新雪（しんせつ）・雪（ゆき）だるま・雪（ゆき）げしき（景色）・雪合（ゆきがっ）せん（戦）

船

11かく

おん セン
くん ふね ふな
ぶしゅ ふねへん●舟

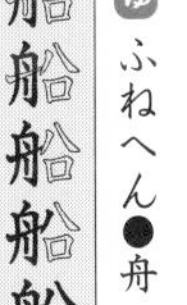

船船船船船船船船船船船

いみと ことば ①ふね。船長（せんちょう）。船（せん）いん（員）・じょう（乗）船（せん）・下船（げせん）・船出（ふなで）・汽船（きせん）・きゃく（客）船（せん）

線

15かく

おん セン
くん ―
ぶしゅ いとへん●糸

線線線線線線線線線線線線線線線

いみと ことば ①すじ。せん。光線（こうせん）・直線（ちょくせん）・水（すい）へい（平）線（せん）・赤外線（せきがいせん） ②てつどう。線（せん）ろ（路）・本線（ほんせん）

前

おん ゼン
くん まえ
ぶしゅ りっとう●刂
9かく

前前前前前前前前前

いみと ことば ①まえ。まえの ほう。前後・前方・前しん(進)・前む(向)き ②じかんが まえ。いぜん。前日・前年・前回・食前・午前

組

おん ソ
くん くむ くみ
ぶしゅ いとへん●糸
11かく

組組組組組組組組組組組

いみと ことば ①くむ。くみたてる。組み立て・組み合わせ ②いっしょの なかま。一年一組・白組

走

おん ソウ
くん はしる
ぶしゅ はしる●走
7かく

走走走走走走走

いみと ことば ①はしる。きょう(競)走・走行・走力・力走・走り書き・小走り・じょ(助)走・走ろ(路) ②にげる。はい(敗)走

多

おん タ
くん おおい
ぶしゅ ゆう●夕
6かく

多多多多多多

いみと ことば ①かずや りょうが おおい。多少・多数・多年・多りょう(量)・多大・多はつ(発)・多方めん(面)・ざっ(雑)多

太

おん タイ・タ
くん ふとい ふとる
ぶしゅ だい●大
4かく

太太太太

いみと ことば ①ふとい。太もも・太字・丸太・肉太・ほね(骨)太 ②とても おおきい。太よう(陽) ③たいへんな。太古

体

おん タイ テイ㊥
くん からだ
ぶしゅ にんべん●亻
7かく

体体体体体体体

いみと ことば ①からだ。しん(身)体・体力・体いく(育)・体そう(操)・体かく(格) ②かたち。ようす。気体・字体・正体・全体

台

5かく

おん ダイ・タイ
くん ――
ぶしゅ くち●口

台台台台台

いみと ことば ①たかく たいらなところ。台地・高台 ②ものをのせるもの。台ざ(座)・きょう(鏡)台 ③もと。台本・土台

地

6かく

おん チ・ジ
くん ――
ぶしゅ つちへん●土

地地地地地地

いみと ことば ①じめん。大地・地上・地下・土地・地めん(面) ②そのばしょ。地方・地元 ③ちい。たちば。地い(位)・きょう(境)地

池

6かく

おん チ
くん いけ
ぶしゅ さんずい●氵

池池池池池池

いみと ことば ①いけ。用水池・ちょ(貯)水池・古池・ため池・はす池 ②ためておくところ。電池

ちゅうい 「電地」は まちがい。

知

8かく

おん チ
くん しる
ぶしゅ やへん●矢

知知知知知知知知

いみと ことば ①しる。しらせる。お知らせ・通知 ②しりあい。知人・きゅう(旧)知 ③ちえ。知せい(性)・知しき(識)

茶

9かく

おん チャ サ㊥
くん ――
ぶしゅ くさかんむり●艹

茶茶茶茶茶茶茶茶茶

いみと ことば ①おちゃ。新茶・茶ばたけ(畑)・りょく(緑)茶・茶つみ・茶わん・茶の間・茶会・茶道 ②ちゃいろ。茶色・こげ茶

昼

9かく

おん チュウ
くん ひる
ぶしゅ ひ●日

昼昼昼昼昼昼昼昼昼

いみと ことば ①ひるま。しょうご。お昼・昼夜・ま(真)昼・白昼・昼食・昼休み・昼す(過)ぎ・昼下がり・昼間(ちゅうかん)・昼日中

長

8かく

おん チョウ

くん ながい

ぶしゅ ながい●長

長長長長長長長長

いみと ことば ①ながい。長身・長たん(短)・長き(期) ②かしら。いちばん うえ。長男・校長 ③すぐれている。長所・とく(特)長

鳥

11かく

おん チョウ

くん とり

ぶしゅ とり●鳥

鳥鳥鳥鳥鳥鳥鳥鳥鳥鳥鳥

いみと ことば ①とり。小鳥・鳥小や(屋)・親鳥・ひな鳥・白鳥・野鳥・水鳥・あい(愛)鳥週間

朝

12かく

おん チョウ

くん あさ

ぶしゅ つき●月

朝朝朝朝朝朝朝朝朝朝朝朝

いみと ことば ①あさ。朝日・朝や(焼)け・早朝・朝食・朝方・毎朝・朝もや・今朝・明朝・朝市

直

8かく

おん チョク・ジキ

くん ただちに なおす・なおる

ぶしゅ め●目

直直直直直直直直

いみと ことば ①まっすぐ。直線・直角・直行 ②まじめ。正直 ③じかに。すぐに。直せつ(接)・直前・直後 ④とうばん。日直

通

10かく

おん ツウ

くん とおる とおす・かよう

ぶしゅ しんにょう●辶

通通通通通通通通通通

いみと ことば ①とおる。ゆききする。交通 ②しらせる。通知 ③てがみなどを かぞえる。一通

弟

7かく

おん テイ㊥・ダイ デ㊥

くん おとうと

ぶしゅ ゆみ●弓

弟弟弟弟弟弟弟

いみと ことば ①とししたの おとこきょうだい。おとうと。兄弟・弟分・子弟・弟妹 ②おしえを うけるもの。でし。弟子・門弟

店

8かく

おん テン

くん みせ

ぶしゅ まだれ●广

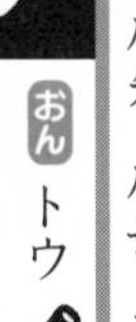

店店店店店店店店

いみと ことば ①ものを うる ところ。みせ。しょう(商)店・百か(貨)店・売店・書店・茶店・本店・夜店・店先・店長・店いん(員)

点

9かく

おん テン

くん ——

ぶしゅ れんが●灬

点点点点点点点点点

いみと ことば ①ちいさな しるし。てん。黒点・点線 ②てんすう。百点 ③ばしょ。交さ(差)点・地点 ④ことがら。けっ(欠)点・弱点

電

13かく

おん デン

くん ——

ぶしゅ あめかんむり●雨

電電電電電電電電電電電電電

いみと ことば ①でんき。電力・電線 ②でんしゃ。市電 ③でんぽう。でんわ。しゅく(祝)電

刀

2かく

おん トウ

くん かたな

ぶしゅ かたな●刀

刀刀

いみと ことば ①かたな。はもの。日本刀・大刀・たん(短)刀・小刀(こがたな)・名刀・木刀・刀工・ちょうこく(刻)刀

冬

5かく

おん トウ

くん ふゆ

ぶしゅ ふゆがしら●夂

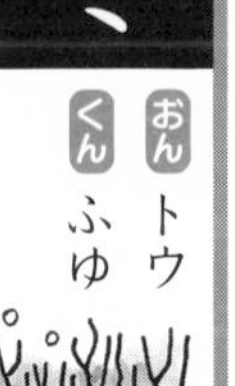

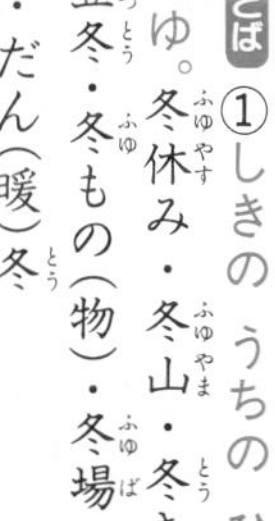

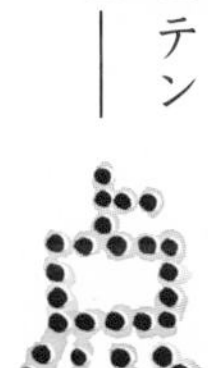

冬冬冬冬冬

いみと ことば ①しきの うちの ひとつ。ふゆ。冬休み・冬山・冬き(季)・立冬・冬もの(物)・冬場・冬みん・だん(暖)冬

当

6かく

おん トウ

くん あたる
あてる

ぶしゅ しょう●⺌

当当当当当当

いみと ことば ①あたる。あてはまる。体当たり・当せん(選)・当番・日当たり ②その。この。いまの。当人・当日・当時・当地

東

8かく

おん　トウ
くん　ひがし
ぶしゅ　き●木

東東東東東東東東

いみと ことば　①ひがし。ひがしの ほう。東方・東北・東西南北・かん(関)東・東よう(洋)・東む(向)き・東京・東口・東上

答

12かく

おん　トウ
くん　こたえる
　　　こたえ
ぶしゅ　たけかんむり●⺮

答答答答答答答答答答答答

いみと ことば　①こたえ。こたえる。口答え・う(受)け答え・答え合わせ・もん(問)答・かい(解)答

頭

16かく

おん　トウ・ズ
くん　あたま
　　　かしら㊥
ぶしゅ　おおがい●頁

頭頭頭頭頭頭頭頭頭頭頭頭頭頭頭頭

いみと ことば　①あたま。石頭・頭上　②はじめ。年頭　③かしら。船頭　④うしなどのかず。一頭

同

6かく

おん　ドウ
くん　おなじ
ぶしゅ　くち●口

同同同同同同

いみと ことば　①おなじ。いっしょ。同きゅう(級)生・同時・同点・同よう(様)・同かん(感)・きょう(共)同・合同　②なかま。一同

道

12かく

おん　ドウ
くん　みち
ぶしゅ　しんにょう●⻌

道道道道道道道道道道道道

いみと ことば　①みち。歩道　②ひとがまもるべきこと。道とく(徳)　③せんもんの やりかた。書道

読

14かく

おん　ドク・トク
　　　トウ
くん　よむ
ぶしゅ　ごんべん●言

読読読読読読読読読読読読読読

いみと ことば　①ほん などを よむ。読書・読しゃ(者)・通読・ろう(朗)読・音読み・くん(訓)読み

内

4かく

おん ナイ　ダイ㊥

くん うち

ぶしゅ どうがまえ●冂

内内内内

いみと ことば ①なか。うちがわ。内外・校内・市内・町内・体内・場内・室内 ②ひそかに。内みつ(密)・内聞・内てい(定)・内心

南

9かく

おん ナン

くん みなみ

ぶしゅ じゅう●十

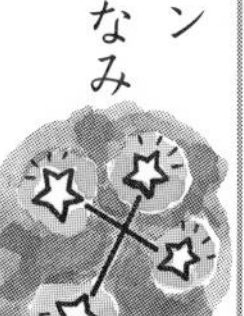

南南南南南南南南南

いみと ことば ①みなみ。みなみの ほう。南北・南方・東南・南西・南がわ(側)・南ぶ(部)・南風・南国・南米・南下・南きょく(極)

肉

6かく

おん ニク

くん ――

ぶしゅ にく●肉

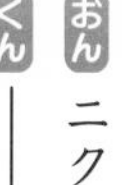

肉肉肉肉肉肉

いみと ことば ①どうぶつの にく。牛肉・鳥肉・魚肉・肉や(屋)・肉食 ②からだ。肉体・きん(筋)肉 ③ちのつながった。肉親

馬

10かく

おん バ

くん うま

ぶしゅ うま●馬

馬馬馬馬馬馬馬馬馬馬

いみと ことば ①どうぶつの うま。馬とび・竹馬・木馬・馬車・白馬・名馬・じょう(乗)馬・馬力

売

7かく

おん バイ

くん うる　うれる

ぶしゅ にんにょう●儿

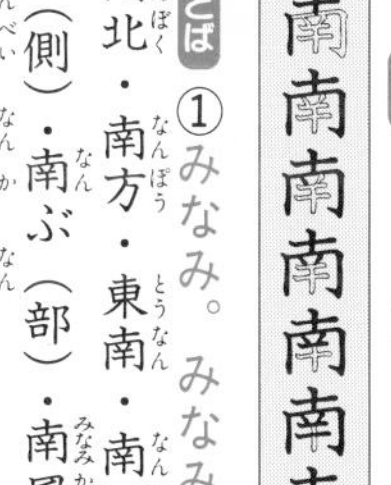

売売売売売売売

いみと ことば ①うる。売買・売り買い・売り手・売り場・売りもの(物)・売り切れ・売店・とく(特)売・しょう(商)売・大売り出し

買

12かく

おん バイ

くん かう

ぶしゅ かい●貝

買買買買買買買買買買買買

いみと ことば ①かう。売買・売り買い・買いもの(物)・買い手・買いしめ・買い食い・買いだめ

麦

7かく

おん バク㊥

くん むぎ

ぶしゅ むぎ●麦

麦麦麦麦麦麦麦

いみと ことば ①こくもつの むぎ。大麦・小麦・小麦こ(粉)・麦茶・麦ばたけ(畑)・麦ふみ・麦わらぼうし・麦めし(飯)・麦秋

半

5かく

おん ハン

くん なかば

ぶしゅ じゅう●十

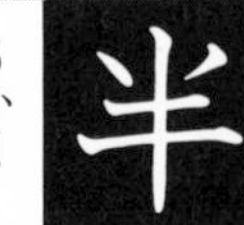

半半半半半

いみと ことば ①はんぶん。なかば。半ば・半分・半月(はんげつ)・半年・半円・前半・後半・半数 ②はんぱ。かんぜんで ない。半人前

番

12かく

おん バン

くん ——

ぶしゅ た●田

番番番番番番番番番番番番

いみと ことば ①じゅんばん。番地。番ごう(号)・一番 ②みはる。番犬・交番・門番 ばんをする。

父

4かく

おん フ

くん ちち

ぶしゅ ちち●父

父父父父

いみと ことば ①おとこおや。ちち。父親・ぎ(義)父・父子・父母(ちちはは)・父兄・そ(祖)父

とくべつな よみかた 「お父さん」

風

9かく

おん フウ

くん かぜ かざ

ぶしゅ かぜ●風

風風風風風風風風風

いみと ことば ①かぜ。風雨・風力・北風・南風・春風 ②ならわし。家風・風しゅう(習) ③ようす。ありさま。風けい(景)・風光

分

4かく

おん ブン・フン・ブ

くん わける・わかれる・わかる・わかつ

ぶしゅ かたな●刀

分分分分

いみと ことば ①わける。わけたもの。半分・分るい(類)・分校・分かつ(割) ②ようす。気分 ③たんいを あらわす。五分・五分

聞

14かく

おん ブン
くん きく　きこえる
ぶしゅ みみ●耳

聞聞聞聞聞聞聞聞聞聞聞聞聞聞

いみと ことば ①きく。きこえる。聞き手（ききて）・聞き耳（ききみみ）・立ち聞き（たちぎき） ②ひょうばん。うわさ。外聞（がいぶん）・風聞（ふうぶん）

米

6かく

おん ベイ　マイ
くん こめ
ぶしゅ こめ●米

米米米米米米

いみと ことば ①こくもつのこめ。米食（べいしょく）・米や（こめや）（屋）・白米（はくまい）・げん米（まい）・もち米（ごめ）・米作（べいさく）・新米（しんまい）・古米（こまい） ②アメリカ。日米（にちべい）・米国（べいこく）・南米（なんべい）・北米（ほくべい）

歩

8かく

おん ホ・ブ㊥
くん あるく　あゆむ
ぶしゅ とめる●止

歩歩歩歩歩歩歩歩

いみと ことば ①あるく。歩み（あゆみ）・歩行（ほこう）・一歩一歩（いっぽいっぽ）・歩道（ほどう）・さん（散）歩（ぽ）・と（徒）歩（ほ）・歩はば（ほはば）・歩道きょう（ほどうきょう）（橋） ②わりあい。歩合（ぶあい）・日歩（ひぶ）

母

5かく

おん ボ
くん はは
ぶしゅ なかれ●毋

母母母母母

いみと ことば ①おんなおや。ははおや。母親（ははおや）・父母（ふぼ）・母子（ぼし） ②いちばんのもと。母国（ぼこく）・母校（ぼこう）・母音（ぼいん）

とくべつな よみかた 「お母さん（おかあさん）」

方

4かく

おん ホウ
くん かた
ぶしゅ ほう●方

方方方方

いみと ことば ①ほうこう。方向（ほうこう）・方角（ほうがく） ②ちいき。地方（ちほう）・方言（ほうげん） ③しかく。正方形（せいほうけい） ④そのころ。夕方（ゆうがた） ⑤やりかた。方ほう（ほうほう）（法）

北

5かく

おん ホク
くん きた
ぶしゅ ひ●匕

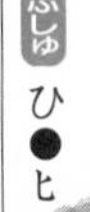

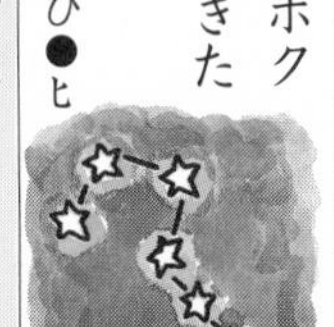

北北北北北

いみと ことば ①きた。きたのほう。北風（きたかぜ）・北方（ほっぽう）・北国（きたぐに）・北きょく（ほっきょく）（極）・北ぶ（ほくぶ）（部）・南北（なんぼく）・東北（とうほく）・北上（ほくじょう） ②にげる。はい（敗）北（ぼく）

毎

おん マイ
くん ——
ぶしゅ なかれ●毋
6かく

毎毎毎毎毎毎

いみと ことば ①いつも。そのたびに。そのとき そのとき。毎日・毎回・毎朝・毎ばん(晩)・毎週・毎月・毎年(まいとし)

妹

おん マイ㊥
くん いもうと
ぶしゅ おんなへん●女
8かく

妹妹妹妹妹妹妹妹

いみと ことば ①とししたのおんなきょうだい。姉妹(あねいもうと)・兄妹・妹分・弟妹・妹思い

ちゅうい 右は「末」でなく「未」

万

おん マン・バン㊥
くん ——
ぶしゅ いち●一
3かく

万万万

いみと ことば ①すうじのまん。一万円・百万円・一万人・万一 ②たくさん。すべて。万じ(事)・万国・万のう(能)

明

おん メイ・ミョウ
くん あかり・あかるい・あかるむ・あからむ・あきらか・あける・あく・あくる・あかす
ぶしゅ ひへん●日
8かく

明明明明明明明明

いみと ことば ①あかるい。明あん(暗)・月明かり ②あきらか。明白・せつ(説)明・明記・明細 ③つぎの。明日(みょうにち)・明年

鳴

おん メイ
くん なく・なる・ならす
ぶしゅ とり●鳥
14かく

鳴鳴鳴鳴鳴鳴鳴鳴鳴鳴鳴鳴鳴鳴

いみと ことば ①むしや とりが なく。なきごえ。鳴き声 ②おとをだす。ならす。海鳴り・耳鳴り

毛

おん モウ
くん け
ぶしゅ け●毛
4かく

毛毛毛毛

いみと ことば ①ひとや どうぶつなどの け。体毛・毛糸・羽毛・毛ひつ(筆) ②さくもつなどの せいちょう。二毛作・ふ(不)毛

門

8かく

おん モン
くん かど㊥
ぶしゅ もん●門

門門門門門門門門

いみと ことば ①いえの そとの でいりぐち。正門・校門 ②いえがら。名門・同門・一門 ③わけたもの。せん(専)門・ぶ(部)門

友

4かく

おん ユウ
くん とも
ぶしゅ また●又

友友友友

いみと ことば ①ともだち。ゆうじん。友だち・友人・親友・学友・あく(悪)友・きゅう(級)友 ②したしい。友じょう(情)

夜

8かく

おん ヤ
くん よ・よる
ぶしゅ ゆう●夕

夜夜夜夜夜夜夜夜

いみと ことば ①よる。よなか。月夜・夜きん(勤)・夜中・夜間・毎夜・夜店・しん(深)夜・十五夜・夜空・今夜・夜汽車・夜食・夜明け

用

5かく

おん ヨウ
くん もちいる
ぶしゅ もちいる●用

用用用用用

いみと ことば ①つかう。用心・り(利)用・し(使)用・引用 ②しごと。用けん(件)・用じ(事)・社用 ③やくに たつ。作用・通用

野

11かく

おん ヤ
くん の
ぶしゅ さとへん●里

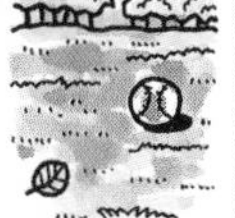

野野野野野野野野野野野

いみと ことば ①のはら。野原・原野・山野 ②しぜんな。野生・野鳥 ③ぶんや。はんい。分野

曜

18かく

おん ヨウ
くん ―
ぶしゅ ひへん●日

曜曜曜曜曜曜曜曜曜曜曜曜曜曜曜曜曜曜

いみと ことば ①ようび。日曜日・月曜日・火曜日・水曜日・木曜日 ②かがやく。黒曜石

来

7かく

おん　ライ
くん　くる
きたる㊥
きたす㊥
ぶしゅ　き●木

いみと ことば　①やってくる。ちかづく。来きゃく（客）・外来・来店　②つぎの。来週・来年　③そのさき。しょう（将）来・い（以）来

里

7かく

おん　リ
くん　さと
ぶしゅ　さと●里

いみと ことば　①ひとが すんでいるところ。山里・人里　②ふるさと。きょう（郷）里・里心　③むかしの きょりの たんい。一里

理

11かく

おん　リ
くん　——
ぶしゅ　おうへん●王

いみと ことば　①すじみち。どうり。しん（真）理・理科　②ととのえる。しょ（処）理・せい（整）理

話

13かく

おん　ワ
くん　はなす
はなし
ぶしゅ　ごんべん●言

いみと ことば　①はなす。はなしをする。会話・電話　②ものがたり。おはなし。むかし（昔）話

音訓さくいん

✲一番上の 数字は、その かん字を ならう 学年です。
✲おんよみは「かたかな」、くんよみは「ひらがな」です。
✲ひらがなの 赤い ぶ分は、「おくりがな」です。
✲一番下の 数字は、かん字の せつ明が ある ページです。

あ

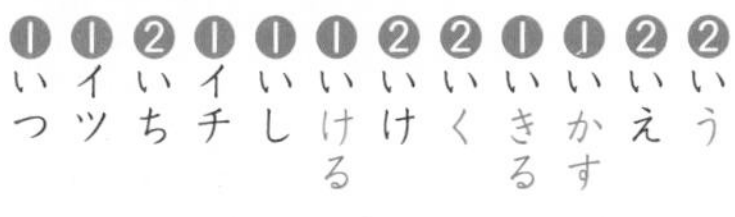

い

う

学年	読み	漢字	ページ
❷	キ	記	190
❷	キ	帰	190
❶	き	木	44
❶	き	生	145
❷	き	黄	194
❷	きく	聞	209
❷	きこえる	聞	209
❷	きた	北	209
❷	きたす	来	212
❷	きたる	来	212
❶	キュウ	九	26
❷	キュウ	弓	190
❶	キュウ	休	164
❷	ギュウ	牛	190
❷	ギョ	魚	190
❷	キョウ	兄	191
❷	キョウ	京	190
❷	キョウ	教	191
❷	キョウ	強	191
❷	ギョウ	行	194
❷	ギョウ	形	191
❶	ギョク	玉	139
❷	きる	切	201
❷	きれる	切	201
❷	キン	今	195
❷	キン	近	191
❶	キン	金	48

く

学年	読み	漢字	ページ
❶	ク	九	26
❶	ク	口	60
❷	ク	工	193
❶	クウ	空	109
❷	くう	食	199
❶	くさ	草	133
❶	くださる	下	85
❶	くだす	下	85
❶	くだる	下	85
❶	くち	口	60
❷	くに	国	195
❷	くび	首	198
❷	くみ	組	202
❷	くむ	組	202
❷	くも	雲	186
❷	くる	来	212
❶	くるま	車	181
❷	くろ	黒	195
❷	くろい	黒	195

け

学年	読み	漢字	ページ
❶	ケ	気	103
❷	ケ	家	187
❷	け	毛	210
❶	ゲ	下	85
❷	ゲ	夏	187
❷	ゲ	外	188
❷	ケイ	兄	191
❷	ケイ	形	191
❷	ケイ	京	190
❷	ケイ	計	191
❶	ゲツ	月	37
❶	ケン	犬	126
❶	ケン	見	169
❷	ケン	間	189
❷	ゲン	元	192
❷	ゲン	言	192
❷	ゲン	原	192

こ

学年	読み	漢字	ページ
❷	コ	戸	192
❷	コ	古	192
❶	こ	小	68
❶	こ	子	121
❶	こ	木	44
❷	こ	黄	194
❶	ゴ	五	19
❷	ゴ	午	192
❷	ゴ	後	193
❷	ゴ	語	193
❶	コウ	口	60
❷	コウ	工	193
❷	コウ	公	193
❷	コウ	広	193
❷	コウ	考	194
❷	コウ	交	193
❷	コウ	光	194
❷	コウ	行	194
❷	コウ	後	193
❶	コウ	校	157
❷	コウ	高	194
❷	コウ	黄	194
❷	ゴウ	合	194
❷	ゴウ	強	191
❷	こえ	声	200
❶	コク	石	97
❷	コク	谷	195
❷	コク	国	195
❷	コク	黒	195
❶	ここの	九	26
❶	ここのつ	九	26
❷	こころ	心	199
❷	こたえ	答	206
❷	こたえる	答	206
❷	こと	言	192
❷	こまか	細	195
❷	こまかい	細	195
❷	こめ	米	209
❷	コン	声	200
❷	コン	今	195
❶	コン	金	48
❷	ゴン	言	192

さ

学年	読み	漢字	ページ
❶	サ	左	79
❷	サ	作	196
❷	サ	茶	203
❷	サイ	才	195
❷	サイ	切	201
❷	サイ	西	200
❷	サイ	細	195
❷	さかな	魚	190
❶	さがる	下	85
❶	さき	先	144
❷	サク	作	196
❶	さげる	下	85
❶	サッ	早	183
❷	さと	里	212
❶	サン	三	14
❶	サン	山	92
❷	サン	算	196

し

学年	読み	漢字	ページ
❶	シ	子	121
❷	シ	止	196
❶	シ	四	18
❷	シ	市	196
❶	シ	糸	180
❷	シ	自	197
❷	シ	姉	196
❷	シ	思	197
❷	シ	紙	197
❶	ジ	耳	61
❶	ジ	字	151
❷	ジ	寺	197
❷	ジ	自	197
❷	ジ	地	203
❷	ジ	時	197
❷	しいる	強	191
❷	シキ	色	199
❷	ジキ	直	204
❶	した	下	85
❷	したしい	親	200
❷	したしむ	親	200
❶	シチ	七	24
❷	シツ	室	197
❶	ジツ	日	36
❶	ジッ	十	30
❶	しも	下	85
❶	シャ	車	181
❷	シャ	社	198
❶	シャク	石	97
❷	ジャク	弱	198
❶	シュ	手	54
❷	シュ	首	198
❷	シュウ	秋	198
❷	シュウ	週	198
❶	ジュウ	十	30
❶	シュツ	出	163
❷	シュン	春	198
❷	ショ	書	199
❶	ジョ	女	115
❶	ショウ	小	68
❷	ショウ	少	199
❶	ショウ	生	145
❶	ショウ	正	152
❷	ショウ	星	201
❶	ジョウ	上	84
❷	ジョウ	場	199
❷	ショク	色	199
❷	ショク	食	199
❶	しら	白	73
❷	しる	知	203
❷	しるす	記	190
❶	しろ	白	73
❶	しろい	白	73
❷	シン	心	199
❶	シン	森	91
❷	シン	新	200
❷	シン	親	200
❶	ジン	人	116

す

学年	読み	漢字	ページ
❶	ス	子	121
❷	ズ	図	200
❷	ズ	頭	206
❶	スイ	水	43
❶	スイ	出	163
❷	スウ	数	200
❷	すくない	少	199
❷	すこし	少	199

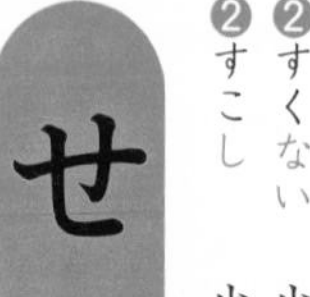

せ

学年	読み	漢字	ページ
❶	セイ	生	145
❶	セイ	正	152
❷	セイ	西	200
❷	セイ	声	200
❶	セイ	青	74
❷	セイ	星	201
❷	セイ	晴	201
❶	セキ	夕	108
❶	セキ	石	97
❶	セキ	赤	72
❷	セツ	切	201
❷	セツ	雪	201
❶	セン	川	96
❶	セン	千	32
❶	セン	先	144
❷	セン	船	201
❷	セン	線	201
❷	ゼン	前	202

そ

学年	読み	漢字	ページ
❷	ソ	組	202
❶	ソウ	早	183
❷	ソウ	走	202
❶	ソウ	草	133
❶	ソク	足	55
❷	そと	外	188
❷	その	園	186
❶	そら	空	109
❶	ソン	村	175

た

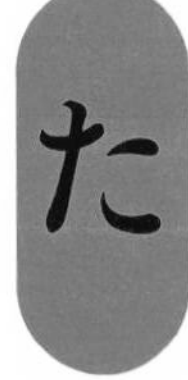

学年	読み	漢字	ページ
❷	タ	太	202
❷	タ	多	202
❶	た	手	54
❶	た	田	176
❶	タイ	大	66
❷	タイ	太	202
❷	タイ	台	203
❷	タイ	体	202
❶	ダイ	大	66
❷	ダイ	内	207
❷	ダイ	台	203
❷	ダイ	弟	204
❷	たか	高	194
❷	たかい	高	194
❷	たかまる	高	194
❷	たかめる	高	194
❶	たけ	竹	134
❶	たす	足	55
❶	だす	出	163
❶	ただしい	正	152
❶	ただす	正	152
❷	ただちに	直	204
❶	たつ	立	168
❶	たてる	立	168
❷	たに	谷	195
❷	たのしい	楽	188
❷	たのしむ	楽	188
❷	たべる	食	199
❶	たま	玉	139
❶	たりる	足	55
❶	たる	足	55
❶	ダン	男	114

ち

学年	読み	漢字	ページ
❷	チ	地	203
❷	チ	池	203
❷	チ	知	203
❶	ち	千	32
❶	ちいさい	小	68
❷	ちかい	近	191
❶	ちから	力	56
❶	チク	竹	134
❷	ちち	父	208
❷	チャ	茶	203
❶	チュウ	中	67
❶	チュウ	虫	127
❷	チュウ	昼	203
❶	チョウ	町	174
❷	チョウ	長	204
❷	チョウ	鳥	204
❷	チョウ	朝	204
❷	チョク	直	204

つ

学年	読み	漢字	ページ
❷	ツウ	通	204
❶	つき	月	37
❷	つくる	作	196
❶	つち	土	49
❷	つの	角	188
❷	つよい	強	191
❷	つよまる	強	191
❷	つよめる	強	191

て

学年	読み	漢字	ページ
❶	て	手	54
❷	デ	弟	204
❷	テイ	体	202
❷	テイ	弟	204
❷	てら	寺	197
❶	でる	出	163
❶	テン	天	102
❷	テン	店	205
❷	テン	点	205
❶	デン	田	176
❷	デン	電	205

と

学年	読み	漢字	ページ
❶	ト	土	49
❷	ト	図	200
❶	と	十	30
❷	と	戸	192
❶	ド	土	49
❷	トウ	刀	205
❷	トウ	冬	205
❷	トウ	当	205
❷	トウ	東	206
❷	トウ	答	206
❷	トウ	読	206
❷	トウ	頭	206
❷	ドウ	同	206
❷	ドウ	道	206
❶	とお	十	30
❷	とおい	遠	186
❷	とおす	通	204

学年	読み	漢字	ページ
❷	とおる	通	204
❷	とき	時	197
❷	トク	読	206
❷	ドク	読	206
❶	とし	年	158
❷	とまる	止	196
❷	とめる	止	196
❷	とも	友	211
❷	とり	鳥	204

な

学年	読み	漢字	ページ
❶	な	名	122
❷	ナイ	内	207
❷	なおす	直	204
❷	なおる	直	204
❶	なか	中	67
❷	ながい	長	204
❷	なかば	半	208
❷	なく	鳴	210
❷	なつ	夏	187
❶	なな	七	24
❶	ななつ	七	24
❷	なに	何	186
❶	なの	七	24
❶	なま	生	145
❷	ならす	鳴	210
❷	なる	鳴	210
❶	ナン	男	114
❷	ナン	南	207
❷	なん	何	186

に

学年	読み	漢字	ページ
❶	ニ	二	13
❷	にい	新	200
❷	ニク	肉	207
❷	にし	西	200
❶	ニチ	日	36
❶	ニュウ	入	162
❶	ニョ	女	115
❶	ニン	人	116

ね

学年	読み	漢字	ページ
❶	ね	音	182
❶	ネン	年	158

の

学年	読み	漢字	ページ
❷	の	野	211
❷	のち	後	193
❶	のぼす	上	84
❶	のぼせる	上	84
❶	のぼる	上	84

は

学年	読み	漢字	ページ
❷	は	羽	186
❷	バ	馬	207
❷	ば	場	199
❷	バイ	売	207
❷	バイ	買	207
❶	はいる	入	162
❶	はえる	生	145
❷	はからう	計	191
❷	はかる	計	191
❷	はかる	図	200
❶	ハク	白	73
❷	バク	麦	208
❷	はしる	走	202
❷	はずす	外	188
❷	はずれる	外	188
❶	ハチ	八	25
❶	はな	花	132
❷	はなし	話	212
❷	はなす	話	212
❷	はね	羽	186
❷	はは	母	209
❶	はやい	早	183
❶	はやし	林	90
❶	はやす	生	145
❶	はやまる	早	183
❶	はやめる	早	183
❷	はら	原	192
❷	はらす	晴	201
❷	はる	春	198
❷	はれる	晴	201
❷	ハン	半	208
❷	バン	番	208
❷	バン	万	210

ひ

学年	読み	漢字	ページ
❶	ひ	日	36
❶	ひ	火	42
❷	ひがし	東	206
❷	ひかり	光	194
❷	ひかる	光	194
❷	ひく	引	186
❷	ひける	引	186
❶	ひだり	左	79
❶	ひと	一	12
❶	ひと	人	116
❶	ひとつ	一	12
❶	ヒャク	百	31
❷	ひる	昼	203
❷	ひろい	広	193
❷	ひろがる	広	193
❷	ひろげる	広	193
❷	ひろまる	広	193
❷	ひろめる	広	193

ふ

へ

ほ

ま

み

む

め

も

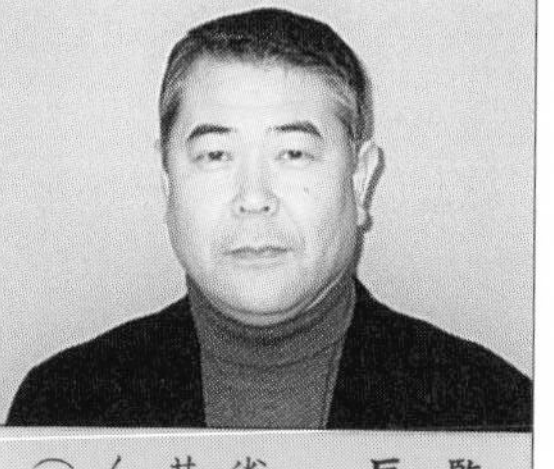

監修者紹介

長野秀章（ながのひであき）

一九四九年生まれ。東京学芸大学書道科卒業。現在、文部科学省初等中等教育局教科調査官（併任）東京学芸大学教授。共著に「漢字指導の手引」（教育出版）。監修に「ちびまる子ちゃんの漢字辞典②」「ドクタースランプなぞりがきえほん」（①あいうえお ②カタカナ ③ことば）集英社刊